अपना दोस्त

नरेन्द्र मोदी

डॉ. जशभाई पटेल

डायमंड बुक्स

www.diamondbook.in

प्रकाशक : डायमंड पॉकेट बुक्स (प्रा.) लि.
X-30, ओखला इंडस्ट्रियल एरिया, फेज-II
नई दिल्ली-110020
फोन : 011-40712200
ई-मेल : sales@dpb.in
वेबसाइट : www.diamondbook.in

APNA DOST NARENDER MODI
By : Dr. Jashbhai Patel

<u>अर्पण</u>

सभी भारतवासियों को

apro/Ug/2019/07/04/vj

दि.०४-०७-२०१९

संदेश

डॉ जशभाई पटेल द्वारा गुजराती में लिखित पुस्तक "आपणो भेरूबंध-नरेन्द्र मोदी" का यह हिन्दी संस्करण है। डॉ. पटेल द्वारा यह अनुवादित है।

आशा है कि पुस्तक में वर्णित कहानियाँ के माध्यम से, अन्य राज्यों की जनता को भी इन योजनाओं के बारे में जानकारी मिलेगी जो गुजरात में लागु की गई है।

मैं इस प्रशस्य पुस्तक **"अपना दोस्त-नरेन्द्र मोदी"** को देश भरमें प्रचार-प्रसार हेतु प्रकाशित करने के लिये डायमंड पोकेट बुक्स, नई दिल्ली का भी अभिनंदन करता हूँ। पुस्तक के हिन्दी संस्करण के लिए अभिनंदन।

आपका,

(विजय रूपाणी)

To,

Dr. Jashbhai N. Patel, (*M.A. Ph. D.*),
Block No. 173/2, CH – Type,
Sector–17, Gandhinagar 382010 (Gujarat).
Email : jashpatel1957@gmail.com

आनंदीबेन पटेल
राज्यपाल,
मध्यप्रदेश

राजभवन,
भोपाल
मध्यप्रदेश

27 मई, 2019

संदेश

मुझे यह जानकर हार्दिक प्रसन्नता है कि डॉ जशभाई एन. पटेल द्वारा देश के प्रधानमंत्री माननीय नरेन्द्र मोदी जी के व्यक्तित्व-कृतित्व पर गुजराती भाषा में लिखी पुस्तक आपणो भेरूबंध: नरेन्द्र मोदी का हिन्दी रूपांतरण अपना दोस्त: नरेन्द्र मोदी का प्रकाशन डायमंड पॉकेट बुक्स द्वारा किया जा रहा है।

हमारे प्रधानमंत्री श्री नरेन्द्र मोदी जी की छवि जनमानस के बीच एक ऐसे व्यक्ति की है जो देश की नब्ज को जानते हैं, लोगों के दुख दर्द से जुड़े हुये हैं, दिन-रात उनकी तकलीफों को दूर करने को प्रयासरत हैं। राष्ट्र का विकास ही जिनके जीवन का ध्येय है। आमजन के जीवन को खुशहाल बनाने के लिए साहसिक निर्णय भी तत्काल लेते हैं। देश में उनकी लोकप्रियता अभूतपूर्व है। नरेन्द्र मोदी जी के उद्बोधनों से जनमानस में भी सकारात्मक बदलाव आये हैं। आदरणीय मोदी जी की "सबका साथ-सबका विकास" की भावना ने लोगों के दिलों को गहरे तक छुआ है। उनके कार्यों से आज देश की विश्व में मजबूत राष्ट्र की पहचान बनी है।

आदरणीय मोदी जी जैसे विशाल व्यक्तित्व को जशभाई जी ने अपनी प्रभावी लेखनी से संजोकर पुस्तक के रूप में समाज को समर्पित करने का अभिनंदनीय कार्य किया है। हिन्दी संस्करण उनके प्रयासों को विस्तारित करेगा। हिन्दी भाषी जन समुदाय को माननीय मोदीजी के आदर्श व्यक्तित्व से जीवन सीख और आदर्शों की प्रेरणा मिलेगी। मोदीजी की लोकमंगल की भावना को विस्तार मिलेगा।

जशभाई पटेल जी को इस पुस्तक प्रकाशन पर हार्दिक बधाई, शुभकामनाएं।

(आनंदीबेन पटेल)

दूरभाष : 0755-2858828, 2858830, फैक्स : 0755-2858832, ई-मेईल : mprajbhavan@mp.gov.in

प्रस्तावना

'अपना दोस्त: नरेन्द्र मोदी' शीर्षक कहानी-संग्रह के यशस्वी लेखक डॉ. जशभाई पटेल मूलत: ग्रामीण क्षेत्र में जन्मे, पले और उदात्त ग्राम-संस्कारों से संचलित हो साहित्य-साधना करने लगे । वैसे उन्होंने अपनी मातृभाषा गुजराती में सृजन करना शुरू किया और 'वेदना' (कहानी-संग्रह) एवं 'पवित्र प्रेम' (उपन्यास) की रचना की । उनमें निहित देशप्रेम और राष्ट्रीय भावों-स्वरों ने उन्हें राष्ट्रभाषा हिन्दी के प्रति उन्मुख किया । उन्होंने 'ट्रान्सपोर्ट की एक रात' (संस्मरण), 'सद्भावना की सरिता: नरेन्द्र मोदी' और 'अपना दोस्त नरेन्द्र मोदी' जैसी हिन्दी रचनाओं के सृजन द्वारा अपनी सामाजिक प्रतिबद्धता उजागर की है ।

आलोच्य कृति 'अपना दोस्त: नरेन्द्र मोदी' तेरह कहानियों का विशिष्ट संकलन है । गुजरात के पूर्व लोकप्रिय और स्वप्नद्रष्टा मुख्यमंत्री श्री नरेन्द्र मोदी की जनभावना और लोकमंगलकारी योजनाओं का समाकलन करना उक्त कृति का प्रतिपाद्य विषय रहा है । लेखक डॉ. जशभाई पटेल स्वयं पूर्व मुख्यमंत्री के कार्यालय में सेवारत थे और उन्होंने अपनी बुद्धि-प्रतिभा, कर्मठता एवं निष्ठा भावना से गुजरात सरकार की जनसेवा विषयक योजनाओं, प्रवृत्तियों एवं कार्यक्रमों को संयोजित व कार्यान्वित करने में विशेष योगदान दिया था । अतएव उक्त कृति में वर्णित सारी घटनाएँ-बातें यथार्थ, प्रामाणिक एवं विश्वसनीय हैं ।

श्री नरेन्द्र मोदी भारतीय इतिहास व राजनीति के अच्छे ज्ञाता, जन-संस्कृति के परम उपासक और राष्ट्रीय अस्मिता के प्रबल पक्षधर रहे हैं । भारतीय राष्ट्र को गौरवान्वित करने और विश्वराजनीतिक मंच पर उसे प्रतिष्ठित करना उनका विशेष लक्ष्य रहा है । गुजरात राज्य में पहली बार मुख्यमंत्री के रूप में श्री नरेन्द्र मोदी जैसे बहुमुखी प्रतिभा के धनी, कर्मयोगी, प्रखर राष्ट्रवादी एवं सिद्ध व्यक्तित्व का अवतरण हुआ

था । उन्होंने गुजरात में जाति-पांति, वर्ण, वर्ग, भाषा, संप्रदाय-धर्म आदि से संबंधित भेदभावों को निर्मूल कर विराट समन्वय साधने का भरसक पुरुषार्थ किया था । 'सबका साथ सबका विकास'- सूत्र उनके राजनीतिक जीवन का मूलमंत्र बन गया । परिणामस्वरूप समस्त भारत में गुजरात सुख-शांति, सद्भाव, समृद्धि और चहुँमुखी विकास का श्रेष्ठ मॉडल बन गया । वस्तुत: श्री नरेन्द्र मोदी सद्भावना, जनसेवा व समन्वय चेतना का प्रचार-प्रसार करते हुए 'लोकनायक' के रूप में लोकहृदयमंच पर प्रस्थापित हो गए ।

प्रस्तुत कहानी-संग्रह में लोककथात्मक शैली में कुल तेरह कहानियाँ संकलित की गई हैं । प्रत्येक कहानी में जनसेवा विषयक एक योजना की संवादात्मक ढंग से जानकारी एवं उससे समाज के अंतिम जन को प्राप्त लाभों का वर्णन किया गया है । पहली कहानी 'सच्ची सेवा' में गुजरात सरकार की अक्षयपात्र योजना की विस्तृत चर्चा करते हुए दुग्धाहार द्वारा कुपोषित सगर्भा महिलाओं की स्वास्थ्य-सेवा-संबंधी समस्या का हल प्रस्तुत किया गया है । दूसरी कहानी 'गाँव पढ़े, सब पढ़ें' में शाला-प्रवेशोत्सव की मुहिम के तहत अनिवार्य शिक्षण सेवा-संबंधी गुजरात सरकार की शिक्षणनीति और उसके प्रचार-प्रसार की बात विशेष ढंग से प्रस्तुत है । तीसरी कहानी 'किन्तु कन्या कहाँ' में 'बेटी बचाओ, बेटी पढ़ाओ'- सूत्र को नारी-शिक्षा और नारी-गौरव के परिप्रेक्ष्य में सुस्पष्ट करते हुए भ्रूणहत्या के पाप से समाज को बचाने की बात बखूबी बताई गई है । चौथी कहानी 'बिचौलियों-बीचवालों को बिठा दिया घर' में ग्रामजनों और कृषकों को दिए जाते बैंक ऋण एवं सरकार की ओर से प्राप्त वित्तीय सहायता के मामलों में गाँव के पटवारी एवं दलालों-बिचौलियों द्वारा होते वित्तीय शोषण की जानकारी देते हुए उसे सरकार द्वारा निरस्त करने की योजना प्रस्तुत की गई है । पाँचवी कहानी 'श्रद्धा दीपक' में स्वाईन फ्लू से ग्रस्त मुख्यमंत्री श्री नरेन्द्र मोदी के स्वास्थ्यलाभ हेतु एक गरीब श्रमजीवी माँ-बेटे ने श्रद्धापूर्वक दीप-नारियल चढ़ाने की मनौती रखी । फलत: मुख्यमंत्री के स्वस्थ हो जाने पर उस श्रमजीवी परिवार को प्राप्त वित्तीय सहायता एवं नौकरी में प्रमोशन की बात बताकर मोदीजी की जनवात्सल्य-भावना उजागर की गई है । छठी कहानी 'रुखड़ी का उद्धार' में गुजरात सरकार

की कन्या-शिक्षण योजना के महत्त्व को दर्शाते हुए उससे प्राप्त प्रेरणा व प्रोत्साहन से रुखड़ी जैसी हजारों ग्राम-कन्याओं के जीवन-स्तर में आने वाले बदलाव को रेखांकित किया गया है । सातवीं कहानी 'पढ़े-खेले गुजरात' में नई युवा पीढ़ी के शैक्षिक-सांस्कृतिक एवं शारीरिक विकास के लिए सरकार से प्राप्त होने वाली वित्तीय सहायता की समुचित जानकारी, ग्रंथालयों एवं खेलकूद के साधनों की व्यवस्था आदि पर व्यापक प्रकाश डाला गया है । आठवीं कहानी 'निराधार का आधार' में शान्ताबाई नामक अपाहिज ग्रामीण महिला के प्रति व्यक्त मुख्यमंत्री नरेन्द्र मोदी की सहानुभूति व अनुकंपा से उसके जीवन में संचारित नई आशा और उत्साह का निरूपण किया गया है । नौवीं कहानी 'वरदानरूप-१०८' में गुज रात की तमाम जनता की स्वास्थ्य सेवा के लिए संचालित १०८ एम्ब्युलंस की अतिशीघ्र सेवा-व्यवस्था की पूरी जानकारी देकर बताया गया है कि गुजरात में यह विशेष सेवा सामान्य जनता के लिए वरदानरूप सिद्ध हुई है। दसवीं कहानी 'कालिया को मोतियाबिंद' में गुजरात सरकार की पशुधन स्वास्थ्यसेवा योजना के तहत आयोजित 'पशुमेला' में कालिया नामक वृद्ध बैल के मोतियाबिंद ऑपरेशन द्वारा मुख्यमंत्री के पशुप्रेम व करुणा का निदर्शन किया गया है । ग्यारहवीं कहानी 'भगवान का अंश' में अभेसंग दादा के चरित्र के माध्यम से मुख्यमंत्री नरेन्द्र मोदी को गुजरात के राजा के रूप में भगवान का अंश माना गया है । जिस प्रकार भगवान समग्र सृष्टि का संचालन, रक्षण व पोषण करते हैं, उसी प्रकार नरेन्द्र मोदी भी गुजरात की तमाम जनता के लिए शिक्षण, रक्षण और पोषण संबंधी चिन्ता करते हुए सदैव निरन्तर पुरुषार्थ करते रहते हैं । बारहवीं कहानी 'आधुनिक युग की शबरी-वीरा केकी सीधवा' में उदवाडा नामक गाँव में निवासित वीरा केकी सीधवा नामक एक बूढ़ी पारसी महिला की नरेन्द्र मोदी के दर्शन करने की अदम्य चाह का चित्रण किया गया है । वह मुख्यमंत्री के 'बेटी पढ़ाओ' अभियान से बेहद प्रभावित थी । वह स्वयं पढ़ना-लिखना शुरू करती है, क्योंकि पढ़ी-लिखी लड़की दो परिवारों का उद्धार करती है । वह कई वर्षों से नरेन्द्र मोदी के दर्शन करने की शबरी की तरह प्रतीक्षा करती है । जब नरेन्द्र मोदी पारसी अगियारी के दर्शन करने के लिए आते हैं, तब उसकी प्रतीक्षा खत्म होती

है । वह मुख्यमंत्री के सिर पर हाथ फेरकर आशीर्वाद देती है । तेरहवीं कहानी 'राजा या देवता' में गुजरात राज्य के छोर पर स्थित डांग जिले की डांगी बोली में मुख्यमंत्री श्री नरेन्द्र मोदी की जनविकास लक्षी विविध योजनाओं और कार्यक्रमों का संवादात्मक शैली में निरूपण किया गया है । २६ जनवरी को गणतंत्र दिवस के उपलक्ष्य में डांग प्रदेश में आयोजित राज्यस्तरीय समारोह के निमित्त दो आदिवासी व्यक्ति नरेन्द्र मोदी के सुशासन से प्राप्त विभिन्न सुख-सुविधाओं की चर्चा करते हुए स्पष्ट करते हैं कि श्री नरेन्द्र मोदी को राजा का ही नहीं, अपितु देव का अवतार समझना चाहिए ।

प्रस्तुत कहानी-संग्रह के अंत में 'नरेन्द्र मोदी : एक विशिष्ट व्यक्तित्व' शीर्षक के अंतर्गत नरेन्द्र मोदी के विशिष्ट व्यक्तित्व को रेखांकित करते हुए उन्हें 'A man with mission' के रूप में सिद्ध किया गया है । नरेन्द्र मोदी स्वयं को 'C.M.' अर्थात् 'Common man' के रूप में अभिहित करते हैं । उन्होंने दोस्त, मित्र, साथी की तरह गुजरात की समस्त जनता की सर्वांगीण उन्नति के लिए दिन-रात अथक् पुरुषार्थ किया था । परिणामस्वरूप गुजरात विकास की स्वर्णिम आभा से चमकने लगा । इस संदर्भ में उक्त ग्रंथ का शीर्षक भी सटीक व यथायोग्य है ।

उक्त कहानी-संग्रह के कहानीकार डॉ. जशभाई पटेल राष्ट्रीय भावों से अनुप्राणित सामाजिक संचेतक के रूप में लेखनी चलाते रहे हैं । वे भारत सरकार के सांस्कृतिक मंत्रालय की ओर से लोक-बोली एवं लोक-साहित्य के क्षेत्र में दो-दो बार सीनियर फेलोशीप अवॉर्ड से सम्मानित किए जा चुके हैं । उनके कथा-साहित्य में चित्रित ग्रामीण अंचल के यथार्थ परिवेश और लोकबोली के संस्कृति के विशेष संस्पर्श से देश-काल और वातावरण प्रभावी व जीवंत बन पड़ा है । उनकी कहानियाँ समाज के उस बदलाव को प्रस्तुत करती हैं, जिसमें जनचेतना और नवनिर्माण की दृष्टि संपन्नता है । इन कहानियों में गुजरात सरकार की जनोत्कर्ष हेतु विशेष प्रेरणा और प्रोत्साहन प्रदान करने वाली योजनाओं की सहज, स्पष्ट व कलात्मक अभिव्यक्ति देखते ही बनती है । कहानीकार ने किसी विचार या घटना विशेष को लेकर कहानियाँ नहीं लिखी हैं, बल्कि कहानी को सामाजिक जीवन से उठाकर सहज ढंग से अभिव्यक्ति

दी है । फलत: सारी कहानियाँ मानवसमाज को सुखी-संपन्न बनाने वाली सरकारी नीतियों, योजनाओं, स्थितियों, दृश्यों और रंगों को समेटे हुए हैं, जो हमें गहरे तक आंदोलित करती हैं । इन कहानियों की परख उच्च कहानी कला – कौशल के धरातल पर नहीं हो सकती । उनका मूल्यांकन करने का धरातल या स्तर है – सामाजिक नवनिर्माण का, जिसे परिपुष्ट करने में ही कहानीकार अपना गौरव और कर्तव्य समझता है । डॉ. जशभाई पटेल ने अगर संकल्पबद्ध होकर गुजरात सरकार की लोकानुरंजनकारी योजनाओं को कहानी-विषय बनाकर अपने साहित्यिक दायित्व का संवहन न किया होता, तो उन्हें समाज कभी क्षमा नहीं करता । इस दृष्टि से वे साधुवाद के पात्र हैं । वस्तुत: सभी कहानियों में सामाजिक नवनिर्माण को नई दिशा व चेतना प्रदान करने की दृष्टि और शक्ति निहित है ।

निष्कर्षरूपेण कहा जा सकता है कि पूर्व मुख्यमंत्री श्री नरेन्द्र मोदी की राजनीति-राजधर्म का अर्थ इन कहानियों में परिभाषित होता है । बहुत साधारण-सी लगती स्थितियों और दृश्यों को उकेरते हुए कहानीकार ने नरेन्द्र मोदी के व्यक्तित्व की भीतरी तहों को खोलने का प्रयत्न किया है । जनविकासलक्षी योजनाओं के चेहरे में नरेन्द्र मोदी का चेहरा नजर आता है, आईने की जरूरत ही नहीं है । नरेन्द्र मोदी का व्यक्तित्व एक मिथक के रूप में आने वाली पीढ़ियों को हमेशा प्रेरित करता रहेगा । इस परिप्रेक्ष्य में प्रस्तुत कहानी-संग्रह राष्ट्रीय स्तर पर नरेन्द्र मोदी की विशिष्ट तस्वीर उजागर करेगा । आशा है, हिन्दी कथा-जगत में 'अपना दोस्त : नरेन्द्र मोदी' ग्रंथ का यथायोग्य स्वागत एवं गौरव होगा ।

अहमदाबाद
दिनांक : १४ अप्रैल, २०१९
    (रामनवमी)

डॉ. एस. पी. शर्मा
पूर्व आचार्य एवं अध्यक्ष,
हिन्दी भवन,
सौराष्ट्र युनिवर्सिटी
राजकोट (गुजरात)

लेखक परिचय

डॉ. जशभाई पटेल

डॉ. जशभाई पटेल का जन्म १५ अगस्त, १९५७ में गुजरात राज्य के खेडा जिले के ठासरा तहसील के छोटे से गाँव कालसर में हुआ था । डॉ. जशभाई पटेल ने कक्षा-१ से ७ तक गाँव की प्राथमिक शाला में और कक्षा-८ से ११ तक भी गाँव के हाईस्कूल में अभ्यास किया । गरीबी के कारण घर में बीजली नहीं होने से लालटेन और दीये के उजाले में सन १९७४ में ओल्ड S.S.C. पास की ।

खेत-मजदूरी का काम करते-करते भवन्स कॉलेज-डाकोर से B.A. का अभ्यास पूर्ण किया । उन्होंने भाषा साहित्य भवन, अहमदाबाद से कई कठिनाईयों का मुकाबला करके १९८२ में M.A. का अभ्यास पूर्ण किया ।

M.A. करने के बाद भाषा निदेशालय – गांधीनगर में जशभाई को भाषांतरकार की नौकरी मिली और १९९० में Regional Elements in Gujarati Novels में Ph.D. की पदवी हाँसिल की । परंतु १९९३ में डॉ. जशभाई की नौकरी छूट गई ।

M.A. का अभ्यास करते-करते अपने वतन चरोतर प्रदेश का चितार देने वाली सामाजिक उपन्यास 'पवित्र प्रेम' २०१० में प्रकाशित हुई । इस उपन्यास की प्रस्तावना गुजरात राज्य के तत्कालीन आदरणीय मुख्यमंत्री श्री नरेन्द्रभाई मोदीजी ने लिखी । इस तरह डॉ. जशभाई के उत्साह-आनंद-खुशी में और बढ़ावा हुआ ।

आदरणीय मुख्यमंत्री श्री नरेन्द्रभाई मोदी जैसी विराट अंतर्राष्ट्रीय प्रतिभा को शब्दस्थ करके गुजराती में ''आपणो भेरुबंध-नरेन्द्र मोदी'' वर्ष २०१२ में पुस्तक प्रकाशित किया ।

गुजरात में भाईचारा, एकता, शांति और सद्भाव को, एक मंच पर गुजरात की जनता को लाने के लिए श्री नरेन्द्रभाई मोदीजी ने सद्भावना

मिशन शुरू किया था । मुख्यमंत्री कार्यालय में सेवारत होने के कारण फर्ज के भागरूप डॉ. जशभाई पटेल को सभी सद्भावना में जाना पड़ता था, इसलिए डॉ. जशभाई सद्भावना के साक्षी बन गये । साक्षीभाव के रूप में डॉ. जशभाई पटेल ने ''सद्भावना की सरिता-नरेन्द्र मोदी' नामक दूसरी पुस्तक का सृजन किया है जो अभी प्रकाशन प्रक्रिया में है ।

डॉ. जशभाई पटेल राष्ट्रीय भावों से अनुप्राणित सामाजिक संचेतक के रूप में लेखनी चलाते रहे हैं । वे भारत सरकार के सांस्कृतिक मंत्रालय की ओर से लोक-बोली एवं लोक-साहित्य के क्षेत्र में दो-दो बार सीनियर फेलोशीप अवॉर्ड से सम्मानित किए जा चुके हैं ।

डॉ. जशभाई पटेल ने गुजरात के तत्कालिन मुख्यमंत्री श्री नरेन्द्रभाई मोदीजी, श्रीमती आनंदीबेन पटेल और श्री विजय रुपाणीजी के कार्यालय में सिनियर सब एडीटर के पद पर अपनी फर्ज निभा रहे हैं । आज डॉ. जशभाई पटेल गुजराती और हिन्दी में साहित्य सृजन एवं साहित्यिक सेवा कर रहे हैं ।

डॉ. बी. के. कलासवा
प्रो. और हेड, हिन्दी भवन,
सौराष्ट्र युनिवर्सिटी, राजकोट

लेखक के बोल

राज्य सरकार के गतिशील प्रशासन एवं मजबूत राजनैतिक मार्गदर्शन का परिणाम यानी कि जनतालक्षी योजनाओं की सफलता । अंतिम दस वर्षों में गुजरात की जनता के करीब सभी वर्गों ने विकास, प्रगति एवं समृद्धि के फल चखे हैं । राज्य के प्रशासन द्वारा कई क्षेत्रों में बोये हुए विचार बीज वृद्धि की प्रक्रिया में से पसार होकर आने वाली पीढ़ी के हाथ में सआश्चर्य आयेंगे तब पूछा जायेगा कि : "ये सब कैसे हुआ ?" "ये किसके उमदा संकल्प का परिणाम है ?" तब सभी के मुंह से एक ही उत्तर होगा : "अरे ये तो अपना दोस्त-नरेन्द्र मोदी का ही काम है ।"

राज्य के आदरणीय मुख्यमंत्री श्री नरेन्द्रभाई मोदी (लोगों के मुंह से नरेन्द्र मोदी) के विराट व्यक्तित्व का मूल्यांकन करना एक मुश्किल कार्य है । ऐसा एक भी क्षेत्र ऐसा नहीं है, जहां उनकी दीर्घद्रष्टि पहुंची न हो.... एक भी क्षेत्र ऐसा नहीं है, जहां उन्होंने पहल (शुरुआत) न की हो....। फिर भी, ग्राम्य प्रजा ये विराट व्यक्तित्व और प्रतिभा का नापन उनके दृष्टिबिन्दु से कैसे करती है....। अल्प ज्ञान रखने वाली ग्राम्य जनता आदरणीय मुख्यमंत्री श्री नरेन्द्रभाई की तेजोमय आभा का मूल्यांकन कैसे करती है वो जानने का प्रयास यानी कि गुजरात के चरोतर प्रदेश की काली घेली बोली में सृजन किया गया यह पुस्तक : "अपना दोस्त नरेन्द्र मोदी ।"

दिल्ली निवासी मेरे मित्र श्री गुंजन अग्रवालजी से इस पुस्तक प्रकाशन के बारे में बात की तो उन्होंने मेरा परिचय श्री नरेन्द्र वर्माजी से करवाया। श्री वर्माजीने इस पुस्तक को छपवाने और प्रकाशित करने की सारी जिम्मेवारी तुरंत उठा ली । मैं श्री नरेन्द्र वर्माजी और श्री गुंजन अग्रवालजी का तहेदिल से आभारी हूँ ।

यह पुस्तक विशाल प्रशासन तंत्र के लिए भी इतना ही सापेक्ष एवं प्रस्तुत बना रहेगा । इसी अपेक्षा के साथ.....

डॉ. जशभाई पटेल
(M.A. Ph.D.
Senior Fellowship Awardees)
ब्लॉक नं. 173/2, च-टाईप,
सेक्टर-17, गांधीनगर 382010, गुजरात
मो. 9727001915, 7874435536
9429903044, 9978447202

दिनांक : 14 अप्रैल, 2019 (रामनवमी)
स्थल : गांधीनगर

अनुक्रमणिका

1. सच्ची सेवा

''आपने पढ़ा ! नरेन्द्र मोदी ने तो नया तूत खड़ा किया है । ले पढ़ यह अखबार ।'' चार-पाँच आदमी गाँव के चौराहे पर बैठे थे उसके पास आकर अखबार देते हुए मगन चाचा ने कहा ।

''अरे ये पढ़ने की भेजामारी कौन करे ? आप ही कह दो कि तूत कैसा है ?'' जगदीश ने मगन चाचा को कहा ।

''अरे ! पढ़ तो सही । तुझे पता हो जायेगा । तू तो हर रोज नरेन्द्र मोदी, नरेन्द्र मोदी की माला जपता है न इसलिए तुझे ही पढ़वाने लाया हूँ । ले पढ़ ।'' ऐसा कहकर मगन चाचा ने जगदीश के हाथ में अखबार थमा दिया ।

जगदीश और इनके साथ चौराहे पर बैठे हुए चार-पाँच आदमी अखबार पढ़ने में मशगूल (मग्न) हो गये, किन्तु इनको कोई तूत जैसा पढ़ने को नहीं मिला, इसलिए शांति से अखबार पढ़ने लगे । इसी दौरान मगन चाचा बोलते ही जा रहे थे :

''क्या कलियुग आया है । ये नरेन्द्र मोदी ने तो न जाने रुपये पेड़ पर लगते हों, इसी तरह से खर्च किये जा रहे है । आज गुजरात राज्य में ऐसा करेंगे, गुजरात राज्य में वैसा करेंगे, किन्तु बोलने से कुछ होने वाला नहीं है । अपनी जेब में हाथ डालना नहीं और फलानी योजना के पीछे इतने रुपये खर्चा किया जाएगा और ढिकानी योजना के पीछे उतना रुपये खर्चा किया जायेगा । उनको क्या पता कि रुपये कैसे कमाये जा सकते हैं । उनको तो बस हुक्म करने का । इनसे तो झवरलाल की सरकार अच्छी थी ।'' मगन चाचा ने अपनी वेदना व्यक्त करते हुए कहा ।

''किन्तु मगन चाचा सारे अखबार में कहीं भी तूत जैसा कुछ भी नहीं लिखा है । आप किस को तूत कहते हो, ये तो कहो ?'' जगदीश ने प्रश्न किया ।

"अरे ! तेरी भी आँखे फूट गई हैं क्या ? अंधे को दिखाई दे ऐसे बड़े-बड़े चोटी जैसे अक्षरो में लिखा है ये तू नहीं देखता ? ले ये पढ़ ।" मगन चाचा ने क्रोध में आकर मुंह टेढ़ा करते हुए ऊँगली शीर्षक पर रखकर बताते हुए कहा ।

"अरे ! मगन चाचा ये तो नरेन्द्र मोदी ने एक नयी योजना ज़ाहिर की है, ये है । इसमें तूत कहाँ है, आप तूत-तूत लेकर लगे हो ?" जगदीश ने सहज भाव से कहा ।

"यह इसकी तो रामायण है । तू शिक्षक हो गया, किन्तु तुझे समझ नहीं और बीच में बक-बक करता है । चुप होकर बैठ । ये तेरे जैसा थोड़ा पढ़ा हुआ, तुरन्त ही नरेन्द्र मोदी की शरण में आ जाता है । ये तूत नहीं तो और क्या है, ये तू मुझे बता सकता है ?" मगन चाचा ने क्रोध में आकर जगदीश को जैसे धमकाते हो, इस तरह कहा ।

"क्या मगनचाचा आप भी बिना समझे बात करते हो ! ऐसी अच्छी योजना को आप तूत कहते हो ?" जगदीश ने आश्चर्य से कहा ।

"क्या धूल अच्छी योजना है ? अरे बुधिया ये जगले को समझा, जरा समझा ।" मगन चाचा ने और गुस्से में आकर कहा ।

"अरे, कोई नयी योजना हो तो पढ़कर बता ?" बुधाभाई ने जगदीश को कहा । इसलिए जगदीश फिर से अखबार में दी गई योजना के बारे में पढ़कर सुनाते हुए बोला :

"गाँव की सगर्भा महिलाएँ कुपोषित से पीड़ित हो रही हैं । और इनको पूरा पोषण मिल रहे इसलिए गाँव के लोग मिलकर जनभागीदारी से दुग्धालय में दूध देते वक्त स्वेच्छा से १०० ग्राम या २०० ग्राम दूध अलग केन में एकत्रित करें और ये दूध गाँव की सगर्भा महिलाओं को पिलाएँ तो ऐसी महिलाओं को पूरा पोषण मिले और आने वाला बच्चा तंदुरुस्त जन्मे । लो बुधाचाचा इसमें नया तूत कहाँ आया ! ये मुझे तो समझ में नहीं आता ।"

"अरे क्यों ये तूत नहीं तो और क्या कहा जाता है ? गाँव ने क्या ठेका ले रखा है कि सारे गाँव की सगर्भा महिलाओं को मुफ्त में दूध पिलाये !" मुँह बिगाड़ते हुए मगन चाचा बोले ।

"हाँ भाई जगदीश, इतनी महँगाई में मुफ्त में कोई दूध देता होगा ?" बुधाचाचा मगनभाई के पक्ष की ओर ढलने से मगन चाचा मुस्कराए ।

  अपना दोस्त-नरेन्द्र मोदी

"आप समझते हो ऐसा नहीं है बुधाचाचा ! हमारे मुख्यमंत्री का ऐसा कहना है कि, सारा दूध मुफ्त में नहीं देने का । आप चार-पाँच लिटर दूध देने के लिए डेरी पे जाओ तब वहाँ एक अलग से केन रखा होगा इसमें पच्चीस या पचास ग्राम जितना दूध केन में डालो तो इसमें आपका कुछ कम नहीं हो जाएगा । डेरी पे दूध भरने आते हुए सब लोग पच्चीस-पचास ग्राम दूध दे तो कितना दूध हो जाए । यह दूध गाँव की सगर्भा महिलाओं को जिसके पास पैसे नहीं हैं, इसके आने वाले बच्चे को तो नया जीवन मिले और आने वाली पीढ़ी तंदुरुस्त बने इसमें बुरा क्या है ? ये तो पुण्य का काम है ।" जगदीश ने नम्रता से सबको समझाया ।

"ले ये पुण्यशाली की पूंछ न देखी हो तो । निकल पड़े बड़ा पुण्य करने को ।" मगन चाचा ने तिरछी नजर से जगदीश की ओर देखते हुए कहा :

"ये तो भाई, यह डेरीवाले को कमाने के लिए धंधा दिया है नरेन्द्र मोदी ने । तुम सब तो आज-कल के हो क्या पता चले !" शंका करते हुए मगन चाचा ने कहा ।

"ये किस तरह मगन चाचा ?" जगदीश ने बड़ा वेधक सवाल किया ।

"भाई हम तेरी तरह ज्यादा पढ़े नहीं हैं पर समझदार तो हैं । हमने तुझ से ज्यादा दिवाली देखी है । ये सफेद बाल ऐसे नहीं आ गये हैं !" मगन चाचा ने अपने सिर के बाल पर हाथ घुमाते हुए कहा ।

"लेकिन कुछ समझाओ तो सही कि ये डेरीवालों को किस तरह कमाने का धंधा करके दिया है ये तो कहो ?" जगदीश को पता नहीं चला इसलिए प्रश्न किया ।

"भैया तुम मुँह में ऊँगलियाँ डालकर बुलाते हो इसलिए कहता हूँ, लो सुनो ! ये सारे गाँव के दूध देने वाले (भरने वाले) इस केन में थोड़ा-थोड़ा दूध डालेंगे, इसलिए नहीं, नहीं तो भी मेरे मतानुसार पंद्रह-बीस लिटर दूध इकट्ठा होगा, इसकी ना नहीं; किन्तु ये दूध यह डेरीवाले ही बेचकर खा जायेंगे । ये कोई बहू-बेटी को देने को जायेंगे नहीं और किसी के पेट में जायेगा नहीं । तू ही बता कि कोई पूछने या देखने को थोड़ा जाने वाला है कि बहन डेरीवाले आप को दूध दे गया या नहीं ?" मगन चाचा ने शंका करते हुए और कुछ उमेरते हुए कहा :

"यह दूध बेचकर दोपहर के वक्त डेरीवाले भजिया या गोटा लेकर खा जाएँगे । ये डेरी में भी क्या मुझे तो याद नहीं आता है कि - भ्रष्टाचार - हां भ्रष्टाचार करने का एक साधन खड़ा किया है ।"

"देखो, मगन चाचा ऐसा नहीं है । आपकी समझफेर होती है । वह हरी गाय बियायी और मर गई । तब आप ही और गाँव के चार-पाँच

आदमी मिलकर, उपस्थित रहकर वह पूंजिया के पास गड्ढा खुदवाकर, १०० किलो नमक डालकर दफनाया था । और उसका बछड़ा जिन्दा था उसको पाल पोषकर बड़ा क्यों किया ?” जगदीश ने प्रश्न किया ।

“भैया गाय तो माता कही जाती है ।” उसका कोई मालिक न था इसलिए करना पड़े इसमें गलत क्या किया ?” मगन चाचा ने कहा ।

“बस मेरा भी ऐसा ही कहना है मगन चाचा । गाँव की बहू-बेटियाँ, कि जिनके पास एक वक्त के खाने को लाले पड़ रहे हैं ऐसी महिलाओं को ये एकत्रित किया दूध पिलाया जाय तो इसको भी पोषण मिले और इसके गर्भ में पनपते हुए बच्चे को भी पोषण मिले । जिससे आने वाला बच्चा तंदुरुस्त जन्मे । और बच्चा तंदुरुस्त होगा तभी तो भावी पीढ़ी तंदुरुस्त बनेगी, इसमें गलत क्या है ? जब हमारी भावी पीढ़ी तंदुरुस्त होगी तो ही बच्चे बड़े होकर कोई डॉक्टर, इंजीनियर, शिक्षक बनकर गाँव का नाम रोशन करेगा । ये तो बहुत ही सुन्दर योजना है । ऐसी योजनाओं को हम गाँववालों को सहर्ष स्वीकार कर लेना चाहिए और तुरन्त ही इसका अमल करना चाहिए ।” जगदीश ने मगन चाचा को समझाते हुए और कुछ उमरते हुए कहा :

“नरेन्द्र मोदी तो ऐसा भी कहते हैं कि आपके मोहल्ले में कुत्ती बियाई होती है तो मोहल्लेवाले गुड़-घी का शीरा बनाकर खिलाते हैं, लेकिन हमें तो हमारी बहन-बेटियों को देने का है । इससे अच्छा और क्या हो सके । जो कि हम गूँगे पशु के लिए कर सकते हैं तो हमारी बहू-बेटियों के लिए क्यों नहीं ?” जगदीश ने मगन चाचा को समझाते हुए कहा ।

“अरे ! आप की बात सोलह अन्नी सच्ची है । लेकिन ये डेरी वाले उसके काम में से फुरसत निकालेंगे तब घर-घर दूध देने जाएँगे न ? और ये तो दूध बेच देंगे और कहेंगे कि हमने तो फलानी बहन को इतना दिया, ढिकानी बहन को इतना दिया । आप घर-घर पूछने थोड़े जाओगे कि आपको कितना दूध दिया गया ?” मगन चाचा ने थोड़ी नम्रता के साथ शंका व्यक्त करते हुए कहा ।

“मगन चाचा हम डेरीवालों को कहेंगे ही नहीं कि आप दूध बाँटकर आओ । गाँव के एक दो अच्छे लड़के को डेरी के पास केन लेकर खड़ा रखने का । जो भी दूध देने को आये उसको कहने का कि भाई

अपनी शक्ति अनुसार केन में दूध डालो । यह दूध गाँव की सगर्भा गरीब बहू और बेटियों को पिलाने का है । पुण्य का काम है, इसलिए सब दूध डालेंगे । और ये दूध दो-चार आदमी गाँव की ऐसी महिलाओं को पहुँचायेंगे, इस की जिम्मेवारी मेरी, बस ! इसलिए इसमें डेरीवाले को बेचने का या भ्रष्टाचार होने का कोई प्रश्न ही खड़ा नहीं होगा ।'' जगदीश ने अपनी जिम्मेवारी स्वीकारते हुए कहा ।

''अरे ! आपकी बात शत् प्रतिशत् सच है । किन्तु सुबह-सुबह में डेरी पे कौन खड़ा रहेगा । और सुबह-सुबह में बाँटने को जाना आपको क्या रुचेगा ?'' मगन चाचा ने पुनः शंका व्यक्त की ।

''मगन चाचा यह पुण्य के काम में सब मदद करेंगे । देखो वह रमेश हररोज सुबह उठकर श्री स्वामिनारायण भगवान का मंदिर साफ करके आता है । वह मंछाचाची हररोज मंहतजी के कक्ष की सफाई-पुताई करके नहीं आते ? ऐसे ये भी सेवा का ही काम है न ।'' जगदीश ने मगन चाचा के मन का समाधान करते हुए कहा ।

''अरे ! हाँ । हम एक काम करेंगे । दो लड़के केन लेकर डेरी पे खड़े रहेंगे । लेकिन कौन-सी बहू को कितने मास हुए हैं ये तो स्त्रियों को ज्यादा पता होता होगा । इसलिए दूध बाँटने का काम बहुओं को ही दिया जाए ।'' मगन चाचा ने रास्ता बताते हुए कहा ।

''किन्तु ये तो सोचो कि इतनी महँगाई में कोई एक बूँद दूध मुफ्त में देगा ?'' बुधा चाचा ने तीर की तरह प्रश्न किया ।

''अरे ! बुधिया, क्यों नहीं देंगे । किसकी माँ ने सवा शेर सूंठ खाई है, तो नहीं देंगे ? और जो नहीं देंगे उसकी टाँग तोड़ डालने में कौन रोकेंगे ?'' मगन चाचा ने गुस्से से कहा ।

''मगन चाचा आप गुस्सा मत करो । ये तो स्वैच्छिक है । जिसको देना है वो दे, न देना हो, वो न दे । जिसको पुण्य चाहिए, सेवा करनी है, वो देंगे । किसी के पास से जबरदस्ती से नहीं लेने का । स्वेच्छ से, अपने मन से जो देते है वो ही सच्ची सेवा कहलाती है । ऐसे बलपूर्वक या धाकधमकी से लेना कोई सेवा नहीं कही जाती ।'' मगनचाचा को समझाते हुए जगदीश ने कहा ।

''अच्छा-अच्छा भैया । ऐसा कर कल मैं ही केन लेकर बैठूँगा । देखूँ तो सही कौन दूध देता है और कौन नहीं देता ।'' मगन चाचा ने कहा ।

''नहीं, मगनचाचा । ऐसा कुछ भी नहीं करने का । किसी को भी बलपूर्वक नहीं कहने का, नहीं डालने वाला व्यक्ति एक या दो दिन नहीं डालेंगे किन्तु तीसरे दिन जरूर डालेंगे । उसको भी ऐसा होगा कि सब सत्कार्य करते हैं तो मैं क्यों न करूँ ! ऐसा सोचकर वो भी तीसरे दिन ये अक्षयपात्र में दूध डालेंगे ही ।'' जगदीश ने दृढ़ता से मगनचाचा को समझाते हुए कहा ।

''किन्तु भाई, ये तो हम दो-चार ने तय किया किन्तु गाँववालों को इस बात का कहाँ पता है । पहले गाँववालों को बताना पड़ेगा न ।'' बुधा चाचा ने बड़ा महत्त्व का प्रश्न किया ।

और उसी शाम को मगनचाचा ने गाँव में ढिंढोरा पिटवा दिया और कहलाया कि ''गाँव की गरीब सगर्भी दीकरीओं (बेटियों) के लिए थोड़े में से थोड़ा-जिसकी जितनी शक्ति हो इतना डेरी पर रखे हुए अक्षयपात्र में दूध दें और ये दूध गाँव की गरीब बहू-बेटियों को पिलाया जायेगा, ये एक पुण्य और सेवा का कार्य है इसके लिए ये किया गया है । इसमें गाँव लोग साथ-सहकार दें, ऐसी बिनती की जाती है ।''

योजना के तहत दूसरे दिन डेरी के पास अक्षयपात्र रखा गया । पहले दिन थोड़ा, दूसरे दिन इससे ज्यादा और तीसरे दिन तो इतना दूध इकट्ठा होने लगा कि सगर्भा महिलाओं के अलावा गाँव की शाला के छोटे-छोटे बच्चों को भी दूध हर रोज बाँटा जाता । गाँव का ये नित्यक्रम बन गया ।

सौ-सौ तीर्थ करने से जो पुण्य नहीं मिलता वो घर के द्वार पर ऐसी नि:स्वार्थ, निखालस और सच्ची सेवा का लाभ लेने का किसको अच्छा नहीं लगेगा !

ऐसी नयी सेवा के अमल से सगर्भा महिलाओं में रही कुपोषित के जंग के सामने बड़ा शस्त्र साबित हुआ ।

2. गाँव पढ़ें, सब पढ़ें

"अरे, आओ रमणभाई आओ । क्यों आज सुबह सुबह में भूले पड़ गये ? आज ललिताभाभी ने चाय पिलायी कि राम राम !" छगनभाई ने सुबह-सुबह में अपने घर आये रमणभाई से प्रश्न किया ।

"भाई आपका काम है इसलिए आया हूँ !" रमणभाई ने कहा ।

"हां, हां ये तो पता है कि बिना लाभ का लाला थोड़ा लौटता है । बोलो क्या काम है ?" छगनभाई ने पुन: प्रश्न किया ।

"देखो छगनभाई आप जैसा मानते हो ऐसा नहीं है । आज मैं आपके पास पैसा लेने नहीं आया हूँ । किन्तु एक मुसीबत का हल करने आया हूँ ।" रमणभाई ने स्पष्टता करते हुए कहा ।

"हां हां बोलो क्या स्पष्टता करने की है ? कुछ कहो तो पता चले न ?" छगनभाई ने उतावले होते हुए कहा ।

"बात जाने ऐसी है कि छगनभाई कि.... कि...." रमणभाई बोलते बोलते रुक गये ।

"ऐसे त... त... फ... फ... क्यों करते हो रमणभाई ? जो भी हो बोल दो ?" छगनभाई जैसे शक्ति का संचार करते हो इस तरह बोले ।

"छगनभाई, आपने आज का अखबार पढ़ा ?" रमणभाई ने प्रश्नार्थ के साथ पूछा ।

"हां, लेकिन इसमें तो ऐसा कुछ भी मेरे देखने में नहीं आया । क्या किसी की मौत हो गई ?" प्रश्नार्थ के साथ छगनभाई ने उत्तर दिया ।

"नहीं किसी की भी मृत्यु नहीं हुई है, लेकिन अब जरूर मृत्यु होगी ।" रमणभाई ने कहा ।

"कौन गुजर जाने वाला है ?" छगनभाई ने प्रश्न किया ।

"अब तो हम सब शेठ ही गुजर जाने वाले हैं । देखो नरेन्द्र मोदी ऐसा ही ऐसा करेंगे तो !" रमणभाई ने अपने दिल की बात बताते हुए कहा ।

"ये कैसे ?" छगनशेठ ने कहा ।

"इसलिए तो कहता हूँ कि आज का अखबार पढ़ा ? ठीक से पढ़ो और इसमें क्या लिखा है इसको ठंडे दिमाग से सोचो, तभी आपको पता चलेगा कि हम शेठ लोग कैसे मरने वाले हैं !" रमणभाई ने वेदना व्यक्त करते हुए कहा ।

"भाई, मुझे तो कुछ समझ में नहीं आता । आप क्या कहना चाहते हो !" छगनशेठ ने नरमाई से कहा ।

"लो पढ़ो, ये नरेन्द्र मोदी की सरकार ने निर्धारण किया है कि आज से सरकार के सब अधिकारी और मंत्री नये सत्र से पाठशाला जायेंगे और गाँव के बच्चों को ये सरकारी अधिकारी ही प्रवेश (दाखिल) करेंगे । इसमें भी आठवी कक्षा तक लड़के-लड़कियों को मुफ्त में शिक्षा दी जायेगी और लड़कियों को तो कॉलेज तक मुफ्त पढ़ाया जायेगा ।" रमणभाई ने अखबार पढ़कर सुनाया ।

"ले इसमें गलत क्या है ? हम इसमें किस तरह मर जायेंगे ये तो समझाओ ?" छगनशेठ ने कहा ।

"अरे छगनभाई आप इतना भी नहीं समझते ! ये सरकार सब बच्चों को मुफ्त में शिक्षा देंगी तो हमारा धंधा बन्द हो जायेगा न ! धंधा बंद हो जायेगा इसलिए हम भूखे नहीं मरेंगे क्या ? लो करो बात, ये हमारे

लिए अच्छा समाचार है, आप ही कहो ?” रमणभाई ने स्पष्टता करते हुए कहा ।

“अच्छा, ऐसा तो मैंने सोचा भी नहीं था ! आप की बात शत् प्रतिशत् सही है रमणशेठ ! आपने तो बहुत लंबा सोचा है रमणभाई । आप की सोच को दाद देनी चाहिए ।” छगनभाई ने प्रशंसा करते हुए कहा ।

“भाई हम तो अच्छी (डाही) माँ के संतान हैं, कोई जरा सा कहे कि तुरन्त ही सोचना पड़े । लेकिन आप तो ठीक से अखबार पढ़ते नहीं हो ।” रमणभाई ने निराशा डालते हुए कहा ।

“हाँ रमणभाई आप की बात सोलह अन्नी सही है । ऐसा तो मैंने सोचा ही नहीं था ?” छगनशेठ ने कबूल करते हुए कहा ।

“देखो गत साल मोहन ने अपने बच्चे को पाठशाला में दाखिल किया । उसके पास फूटी कौडी भी नहीं थी । इसलिए मुझे कहा रमणचाचा, भाई साहब कुछ भी करो मुझे कैंडी (पतासा) लाने के लिए पैसा दो । मुझे बच्चे को पाठशाला में दाखिल करना है तो कुछ बाँटना पड़ेगा, मेरे पास तो कुछ भी नहीं है इसलिए भाई साहब कुछ भी करो मुझे कैंडी (पतासा) के लिए पैसा दीजिए । इसलिए मैंने तो कहा कि जा गोपाल की दुकान पे जाकर मेरा नाम लेना कैंडी (पतासा) दे देगा । मोहन गया तो सही लेकिन गोपाल ऐसे थोड़े ही कैंडी (पतासा) देगा ! मोहन वापिस आया । मुझे कहा 'गोपालभाई ने मना कर दिया और कहता है कि रमणभाई को बुला के ला तब दूँ ।' इसलिए रमणचाचा आप चलो न भाई साहब । मैं गया और मैंने कैंडी (पतासा) के रुपये कबूले तब गोपाल ने कैंडी (पतासा) वजन करके दिया । और मोहन ने अपने बच्चे को पाठशाला में बिठाया ।” रमणभाई ने विस्तार से बताया !

“मैंने सौ रुपये का कैंडी (पतासा) दिलवाया लेकिन ये मोहन सौ रुपये कहाँ से वापस देने वाला था । इसलिए चावल की फसल पर दो मण चावल, गेहूँ की फसल पर दो मण गेहूँ, बाजरे की फसल पर दो मण बाजरा ब्याज (सूद) के तौर पर दे जाता था । और सब्जी, किलो दो किलो फलियां और तिल ऐसा वैसा दे जाता वो तो मुनाफे में । और पूरे साल छोटे बड़े काम करे ये फायदे में । ऐसा हमारा धंधा नरेन्द्र

मोदी की सरकार बन्द करवाने को बैठी है ।" रमणशेठ ने दुःख के साथ कहा ।

"हाँ भाई हाँ, पहले तो बच्चे को शाला में प्रवेश करवाने के समय उनके माँ-बाप को कितना आनंद होता था । कर्ज करके भी शाला में बच्चों को कैंडी बाँटी जाती, इसमें हमें बहुत फायदा होता था । लेकिन ये सरकार खुद जाकर बच्चों को प्रवेश दिला देती है । इसलिए हमारा धंधा बंद हो गया !" छगनशेठ ने कहा ।

"देखो, अभी पंद्रह दिन पहले ही वो परबत आया था । वो भी ऐसा कहता था कि रमणचाचा, जिस प्रकार मोहन को कैंडी (पतासा) दिलाया इस प्रकार मुझे भी नये सत्र में कैंडी दिलवा दो तो मैं भी मेरे गगे को शाला में बिठा दूँ । मैंने कहा तब की बात तब । हमें तो उन्हें कैंडी (पतासा) लाकर देने का ही है लेकिन अभी तो उसको बराबर टल्लाने का और अभी तो मना ही कर दिया । जब तक अपने गगे को शाला में न बिठाये तब तक हमारे पीछे पीछे ही फिरेगा । उनमें तो कैंडी (पतासा) तो क्या कुछ भी बाँटने की शक्ति है ही नहीं ! लेकिन हमारे लिए तो वो दुधार गाय है न ? शाला खुलने पर थोड़ा टल्ले चढायेंगे और बाद में गोपाल की दुकान से कैंडी दिलवा देंगे तभी खुश ! लेकिन इतने में वो रमेश मास्टर आया और कहा कि परबत अब तुझे कैंडी बाँटने की

कोई जरूरत नहीं है । ले ये फॉर्म भर दे तेरे लड़के को तो सरकार ही शाला में प्रवेश कर देगी । इतना ही नहीं तेरे बच्चे को किताबें भी मुफ्त देंगे, कपड़ें - स्कूल-ड्रेस भी देंगे । फीस तो भरने की नहीं किन्तु ऊपर से दोपहर का भोजन भी देंगे । ले ये फॉर्म में अंगूठा लगा । परबत ने अंगूठा दे दिया । और मैंने तो साल भर का दो टिला चावल, गेहूँ, बाज़रा सब गँवा दिया । ये रमेश मास्टर ने तो हमारा धंधा चौपट करवा दिया ।'' रमणभाई ने उग्र होते हुए कहा ।

''ये सब सरकार ने किया तो सही, किन्तु ये मोदी सरकार यहाँ थोड़ी देखने को आयेगी ? हम एक काम करें, ये रमेश मास्टर को समझा देते हैं । साल में उनको दो टिला चावल और गेहूँ दे देंगे ।'' छगनशेठ ने रास्ता बताते हुए कहा ।

''आपकी बात सही है लेकिन ये रमेश मास्टर मानना चाहिए न ।'' रमणशेठ ने कहा ।

''अरे ये तो मान जायेगा । साल में आठ-दस टिला धान्य मिलता हो तो क्यों न माने ? कल ही हम उसे बुलाकर पूछ लेंगे । जरूर कोई रास्ता निकालेगा । नरेन्द्र मोदी की सरकार रोज-रोज थोड़ी इधर देखने को आयेगी ?'' छगनशेठ ने कहा ।

दूसरे दिन छगनशेठ ने रमेश मास्टर को बुलाया और कहा कि, ''भाई रमेश ये शाला में बच्चों को मुफ्त में दाखिल करते हो इसके बदले पहले था ऐसा ही चलने दो । बच्चों को शाला में दाखिल करे तब गाँव में कितना आनन्द होता था, गाँव में कैंडी खायी जाती थी और अब तो ये सब बंद हो गया । ये आनन्द का एक प्रसंग आता था ये भी गवाँ दिया ।'' छगनशेठ ने कहा ।

''छगनशेठ ये नरेन्द्र मोदी की सरकार ने ऐसा तय किया है कि राज्य में एक भी बच्चा निरक्षर नहीं रहना चाहिए । गाँव के बच्चों के माँ-बाप की आर्थिक स्थिति अच्छी नहीं होती है इसलिए उसके बच्चें पढ़ते नहीं हैं । लेकिन हर एक माँ-बाप अपने संतानों को शाला में भेजते ही जायें इसकी दरकार मुख्यमंत्री श्री नरेन्द्र मोदी की सरकार ने ली है । गाँव में किसका बच्चा शाला में बिठाने योग्य है इसका सर्वे करके घर-घर जाकर हमें फॉर्म भरना होता है । इसलिए ग्राम्य स्तर से

ही बालक शिक्षा लेता हो जाय । किसी भी बालक या किसी भी घर में कोई निरक्षर न रह जाय इसकी चीवट ये सरकार ने ली है ।" सरकार की नीति समझाते हुए रमेश मास्टर ने कहा ।

"देख भाई रमेश । तुझे दो-चार टिला धान्य चाहिए तो हमारी पास से ले जाना । लेकिन ये सब बंद रहे ऐसा कुछ कर ।" छगनशेठ ने रमेश को लालच देते हुए कहा ।

"छगनचाचा, भूल से भी ऐसा कुछ मत बोलना । अब तो वो आई.ए.एस. अधिकारी और कलेक्टरश्री भी यहाँ हमारे गाँव में, सिर फट जाये ऐसी गर्मी से प्रवेशोत्सव के लिए आते हैं । और अब तो ये नरेन्द्र मोदी की सरकार ने तय किया है कि कलेक्टरश्रीयों और ये आई.ए.एस. अधिकारी भी शाला में जाकर जाँच करेंगे । पुलिस अधिकारी आई. पी.एस. अधिकारियों को भी हुक्म किया है कि आप को भी शालाओं की मुलाकात करने की । इसमें जो आप जैसा कोई पकड़ा गया तो जेल में धकेल देंगे । इसलिए कहता हूँ कि ऐसा भूल से भी किसी के सामने बोलना मत । अभी तो दीवारों को भी कान होते हैं । जो कोई शिकायत करेंगे तो सब जेल के हवाले हो जायेंगे ।" रमेश ने सरकार की नीति समझाते हुए इसमें विक्षेप करने वाले का कैसा हाल होता है इसकी गर्भित चीमकी देते हुए कहा ।

अपना दोस्त-नरेन्द्र मोदी

''अरे भाई पहले तो ये शाला में कोई आता भी नहीं था, इसलिए मास्टर अपनी मर्जी के मुताबिक करते थे, लेकिन अब तो बड़े-बड़े अधिकारी आने लगे इसलिए मास्टर भी डरकर फिरते हैं, फिर ये हमारा मानते होंगे ।'' रमणशेठ ने कहा ।

''किन्तु इतनी सरकारें आयी और गईं लेकिन किसी ने भी ऐसा नहीं किया, ये नरेन्द्र मोदी को क्या सूझा होगा, तो ऐसा करते होंगे ?'' रमणशेठ ने उग्र होते हुए कहा ।

''भाई ये नरेन्द्र मोदी को तो काम करना है काम । दूसरे लोगों की तरह गलत बोलना नहीं आता । इसलिए तो ये ए.सी. में बैठकर काम करने वाले अधिकारियों (अफ्सरों) को भी इतनी असह्य गर्मी में दौड़ा दिया हैं ।'' रमेश मास्टर ने सरकार की कार्यशैली की ओर इशारा करते हुए कहा और आगे कहा :

''ये आप देखते नहीं छगनशेठ, पहले तो माँ-बाप को पता ही नहीं होता था कि अपना बच्चा कौन-सी कक्षा में पढ़ता है, किन्तु अब तो गांधीनगर बैठे-बैठे ये नरेन्द्र मोदी को पता चलता है कि आपका बच्चा कौन-सी कक्षा में पढ़ता है ।'' रमेश ने कहा ।

''रमेश मास्टर, ये सरकार हमारा इतना ध्यान रखती है ?'' रमणशेठ ने प्रश्न किया ।

''हाँ, हाँ, आज तक आपने अपने बच्चों को कोई दिन कॉपी-किताबें ला दी हैं ? आज तो नरेन्द्र मोदी की सरकार शाला खुलते ही किताबें, कॉपी और स्कूल बैग सब देते हैं । इतना ही नहीं दाखिल होने वाली लड़कियों को तो एक हजार रुपये का विद्यालक्ष्मी बान्ड भी देते हैं । इसलिए बड़ी होने पर उसकी आपको कोई फिकर ही नहीं । बोलो सरकार कितना ध्यान रखती है ।'' रमेश ने सरकार का बखान करने हुए कहा ।

''देखो हमको जब शाला में दाखिल किया था तब पड़ोसियों को भी पता नहीं था और हमें तो कोई शाला में भेजने के लिए भी नहीं आता था । आज तो सारा गाँव ये बच्चों को दाखिल करवाने उमड़ते हैं । अच्छा ये बात तो सही कि नरेन्द्र मोदी के राज में काम तो हो रहे हैं भाई !'' रमणशेठ ने कबूल करते हुए कहा ।

''और अब तो ये नरेन्द्र मोदी ने तो कन्याओं के लिए कॉलेज तक की शिक्षा मुफ्त देने का तय किया है । इसलिए कि लड़कियों कॉलेज तक पढ़ें, तब तक उनके माता-पिता का कोई खर्च नहीं होगा । इतना ही नहीं मुख्यमंत्री ने शिष्यवृत्ति योजना भी दाखिल की है । होशियार विद्यार्थियों को आगे पढ़ना हो तो उनको मुख्यमंत्रीश्री की स्कॉलरशिप में से रुपये मिलेंगे । और ये विद्यार्थी उच्च अभ्यास कर सकते हैं । बोलो आपने अपने बच्चों के लिए आज तक कुछ किया है ? हम यानी कि माँ-बाप ने कुछ नहीं किया इतना ये सरकार करती है किन्तु लोग इसका लाभ नहीं लेते हैं ये बड़े दुःख की बात है ।'' रमेश ने उदास लोगों की ओर ध्यान दर्शाति हुए कहा ।

''भाई, तेरी बात सही है । किन्तु ये तो सरकार है । अभी तो स्कॉलरशिप दे और पीछे से सरकार माँगे तो लड़के और माँ-बाप क्या करें-कहाँ जायें ?'' छगनशेठ ने शंका व्यक्त करते हुए कहा ।

''देखो छगनशेठ ये स्कॉलरशिप का मतलब ये कि विद्यार्थी की पढ़ने की फीस सरकार ही कॉलेज में दे दे । फिर फीस की रकम सरकार को वापिस लेने की नहीं है उसको स्कॉलरशिप कहते हैं । लेकिन आप जैसे शेठ लोग अपने स्वार्थ के लिए अपनी आय का साधन चला जायेगा ऐसा सोचकर लोगों को डराते हैं इसलिए बच्चे ऐसी स्कॉलरशिप जैसी सरकारी

 अपना दोस्त-नरेन्द्र मोदी

योजना का लाभ लेने से डरते हैं । लोग आपकी बात में फँस जाते हैं, इसलिए लाभ नहीं लेते हैं और इसी कारण से गाँव पिछड़ते रहते हैं । व्यक्ति अपना विकास नहीं करता है इसलिए गाँव का विकास नहीं होता है । मेरा तो मानना है कि, सरकार जब सामने से घर बैठे लाभ देने को आयी है तो हमें क्यों न लेना चाहिए ? इसलिए तो छगनशेठ-रमणशेठ मैं आप सबको कहता हूँ कि अपने स्वार्थ के लिए गाँव की प्रगति तो नहीं रोकनी चाहिए । आप जैसे लोग स्वार्थ छोड़कर गाँव लोगों को समझाते तो गाँव बहुत प्रगति करें, गाँव आगे आये और विश्व में गाँव का नाम रोशन हो ।'' रमेश ने उत्साह में आकर सरकार का उद्देश्य समझाते हुए कहा ।

''विश्व में गाँव का नाम रोशन हो ये कैसे भाई । जरा समझाओ तो सही ? रमणशेठने आश्चर्य से कहा ।

''क्यों नहीं, देखो नरेन्द्र मोदीने एक संस्था की स्थापना की है । ये संस्था का नाम है IITE । ये IITE का मतलब इन्डियन इन्स्टीटयुट ओफ टीचर्स एज्युकेशन । ये संस्था शिक्षकों को तैयार करती है । शिक्षकों को तालीम देती है और तैयार हुए शिक्षकों को विदेश भेजे जायेंगे । क्योंकि विदेश में शिक्षकों की कमी है । यहाँ तैयार हुए शिक्षक विदेश में पढ़ायेंगे । इसलिए ये शिक्षक बच्चों को पढ़ायेंगे भी, साथ में हमारी भारतीय संस्कृति भी विदेश में फैलायेंगे । फिर तो सारे विश्व में आपको ऐसा लगेगा कि मैं भारत में हूँ । इतनी ऊँची विचार-शक्ति रखते हैं हमारे मुख्यमंत्री नरेन्द्र मोदी । हमारी संस्कृति का देश परदेश में प्रसार हो इतनी दीर्घदृष्टि नरेन्द्र मोदी रखते हैं । इतने विशाल स्तर पर नरेन्द्र मोदी ही काम कर सकते हैं । आप तो हमारे ही बच्चें न पढ़ें, विकास न करें ऐसी स्वार्थ-भावना रखते हो, तो कहाँ से गाँव या देश आगे आए ! आपको भी नरेन्द्र मोदी की तरह दीर्घदृष्टि रखकर, बड़ा मन रखकर, अपना स्वार्थ छोड़कर गाँव के विकास में साथ सहकार देना चाहिए ।'' रमेश मास्टर ने शेठ लोगों को समझाते हुए कहा ।

''भई, रमेश तेरी बात मुझे शीरा की तरह गले उतर गई । ये गंगा

तो हमारे आंगन तक आयी है, किन्तु हम अपने स्वार्थ में हमारी आँखों पर काली पट्टी लगा के रखी है और न जाने अंधे हो गये हैं, इसलिए ये सब देखते ही नहीं, सोचते भी नहीं । ये गंगा का जल सिर पर चढ़ाने के बजाय हम हमारे स्वार्थ में इतने अंधे हो गये हैं कि उसमें पैर भी डालने को खुश नहीं थे । किन्तु रमेश तेरी बात सुनकर मुझे समझ में आया कि ये सरकार अकेले गरीबों के लिए नहीं तवंगर-श्रीमंत और गरीब को एक साथ रखकर, किसी भी प्रकार का भेदभाव रखे बिना अपने आंगन आकर, हमारे घर आकर अरे खुद राज्य के मुख्यमंत्री बच्चों को घर-घर आकर पढ़ने का आह्वान करें, ऐसी असह्य गर्मी में बैठे रहने की बजाय दो हाथ जोड़कर बच्चों के भविष्य की भीख माँगे - चिंता करें और हम कुंभकर्ण की तरह सोते रहें तो हमारा, राज्य का और देश का विकास कहाँ से होगा !” रमणशेठ ने लाचारी दर्शाते हुए कहा ।

“बस, अब आप समझे रमणचाचा !” रमेश ने कहा ।

और दूसरे दिन शाला प्रवेशोत्सव के कार्यक्रम में आज दिन तक गाँव के विकास में विघ्न डालने का पापों का प्रायश्चित करने, आँगन आये - घर आयी गंगा में डूबकी मारते हो इस प्रकार, मुख्यमंत्री श्री नरेन्द्र मोदी और सभी सरकारी अफसरों की उपस्थिति वाले कार्यक्रम में रमणशेठ और छगनशेठ भी खड़े पैर हाजिर रहे ।

3. किन्तु कन्या कहाँ?

''अरे, देखो वो नरेन्द्र मोदी जाते हैं ।'' रमेश साईकिल लेकर जा रहा था उसकी तरफ इशारा करते हुए जयेश ने कहा ।

''कहाँ जा रहे हैं ? दिखाई नहीं देता !'' सुबह-सुबह महोल्ले के दरवाजे पर धूप में बैठे मोहनचाचा ने अपने हाथ आँखो पर रखते हुए उस तरफ देखा ।

''ये क्या जाता है । कंधे पर थैला रखकर । साईकिल पर ।'' जयेश ने कहा ।

''हाँ भाई । ये तो सच में ही नरेन्द्र मोदी का चेला है ।'' मोहनचाचा ने कहा ।

''चेला नहीं मोहनचाचा । ये तो सच में ही नरेन्द्र मोदी ही हैं ।'' जयेश ने मश्करी करते हुए कहा ।

''ये कैसे भाई जयेश ?'' मोहनचाचा ने प्रश्न किया ।

''क्यों ! ये नरेन्द्र मोदी कहते थे कि बच्ची को जन्म लेने देना चाहिए । इसको माँ के गर्भ में नहीं मार देना चाहिए । ऐसा नरेन्द्र मोदी बार-बार अपने उद्बोधन में कहते हैं तो ये हमारा भाई रोज सुबह के समय साईकिल लेकर निकल पड़ता है और गाँव-गाँव जाकर ये नरेन्द्र मोदी कहते हैं ऐसा प्रचार करता है ।'' जयेश ने कटाक्ष में कहा ।

''अरे, ये नरेन्द्र मोदी की बात ही जाने दो । जब भी हो एक ही बात । बेटी को अवतरने दो-बेटी को अवतरने दो । लेकिन पीछे से कितनी मुश्किल खड़ी होती है ये नरेन्द्र मोदी को कहाँ पता है ?'' मोहनचाचा ने अपना आक्रोश निकालते हुए कहा ।

''हाँ मोहनचाचा तुम्हारी बात सोलह अन्नी सही है ।'' जयेश ने टापशी पूरते हुए कहा ।

''देख भई मैं गलत कहता हूँ तो अपनी आँखों से देखो, वो नरभेराम

की हालत ! बेचारा लड़के की आशा में सात-सात बेटियाँ हुईं फिर भी लड़के का नामोनिशान नहीं । अब तो उसका वंश जाने का ।'' मोहनचाचा ने निःसासा डालते हुए कहा ।

''हाँ मोहनचाचा ये बात सही । बेचारे नरभेरामचाचा को तो खाने की स्थिति नहीं है और सात-सात बेटियों का पालन करने का और वंश जाने का ये तो फायदे में फिर मानव की कैसी दशा हो जाय ।'' जयेश ने चिंता से कहा ।

''अरे, भाई वंश जाय तो जाय । लेकिन सात-सात बेटियाँ और दो वो । इस प्रकार एक वक्त नौ सदस्यों को कैसे निभाया जाय ? इसकी चिंता में ये नरभा मरने पड़ा है । ये सबकी शादी कैसे करेगा ये नरभा !'' मोहनचाचा ने चिंता जताते हुए कहा ।

''हाँ, हाँ मोहनचाचा । ये नरेन्द्र मोदी को तो गांधीनगर में बैठे-बैठे आदेश ही करने का । ये ऐसा कर दो, वो वैसे कर दो । उन्होंने तो कह दिया कि बेटियों को अवतरने दो । लेकिन यहाँ तो जनता का ही नुकसान होता है । ये उसको कहाँ देखने को आना है । जनता का जो होना है वो हो, उसको क्या ? इसकी जेब में से कुछ जाता है ? ये नरभे की क्या हालत है ये उसको कहाँ पता है ?'' जयेश ने आक्रोश व्यक्त करते हुए कहा ।

इतने में रमेश साईकिल लेकर वापिस आता है । और महोल्ले पर खड़े गर्मागर्म चर्चा करते हुए मोहनचाचा और जयेश को जयश्री कृष्ण कहता है । इतने में मोहनचाचा गुस्से में आकर कहते हैं :

''अरे क्या जे सी कशन !'' मोहनचाचा ने मुँह बिगाड़ते हुए कहा ।

''क्यों, क्या हुआ मोहनचाचा । मेरे साथ मुँह क्यों चढ़ाते हो ?'' रमेश ने प्रश्न किया ।

''भाई मैंने तो कुछ नहीं किया किन्तु ये तेरा गुरु नरेन्द्र मोदी है न उसने...!'' मोहनचाचा ने मुँह चढ़ाते हुए कहा ।

''लेकिन नरेन्द्र मोदी ने क्या किया ये तो कहो ?'' रमेश ने पुनः प्रश्न किया ।

''ये देखो भै, ये जयेश कहता है कि अब बेटियों को जन्मने दो । ऐसा नरेन्द्र मोदी कहते हैं । मेरा कहना है कि बेटियों को अवतरने देने से

   अपना दोस्त-नरेन्द्र मोदी

क्या हालत होती है ये वो नरभेराम को पूछकर आओ । बेचारे को एक वक्त खाने के लाले पड़ रहे हैं । लड़कियाँ विवाह करने जैसी हो गईं, रुपये हो तब ठिकाना पड़े न ? लोगों की ऐसी हालत होती है और नरेन्द्र मोदी कहते हैं कि लड़कियों को जन्म लेने दो ! क्या जन्म लेने दो ?” मोहनचाचा तड़ूकते हुए गरजे ।

“मोहनचाचा ऐसा नहीं है । नरभेराम चाचा की बात अलग है । उन्होंने तो पुत्र की लालसा में सात-सात बेटियों को जन्म दिया है । किन्तु नरेन्द्र मोदी का ऐसा कहना नहीं है कि आप पुत्र जन्मे तब तक बेटिओं को जन्म दें । आपको पुत्र का जन्म हो तब तक इन्तजार नहीं करने का । नरभाचाचा को दो बेटियां हुईं तब रुक गये होते तो उनकी ये हालत न होती । किन्तु ये सब बाते छोड़ो...” रमेश आगे बोलने जाता था वहां :

“क्या धूल ! ये नरभे का वंश तो गया और उसके पीछे रोने-धोने वाला कोई नहीं । ये बेचारा नरभा नरक में जायेगा । नरक की बात की आप को कहाँ पता नहीं है रमेश । आप बच्चों को नहीं पढ़ाते हो कि, जो पाप करें वो नरक में जाता है । और नरक में तो दुःख ही दुःख, इसलिए किसी को भी पाप करना नहीं । स्वर्ग में तो सुख मिले सुख ।” मोहनचाचा ने रमेश की बात बीच में से काटते अपनी फिलसूफी जताते हुए कहा ।

“सही है मोहनचाचा । ये नरभाचाचा सात-सात बेटियों पर भी अभी बेटे की आशा रखते हैं । ये दुःख की बात है । भगवान को जो उसको बेटा देना होता तो पहली या दूसरी बार दे दिया होता । लेकिन नरभाचाचा भगवान की इच्छा के विरुद्ध चलने लगे, बेटे की लालसा में । यही उनकी गलती है ।” रमेश ने कहा ।

“भई बेटे की किसको आशा न हो !” मोहनचाचा ने आशा व्यक्त करते हुए कहा ।

“बस यही तो हमारी तकलीफ है ! आपके यहाँ पहला या दूसरा बच्चा आये उसको स्वीकार करके रुक जाओ-वहाँ पूर्णविराम रख दो । लेकिन हमारे यहाँ ऐसा नहीं होता है । हमें तो पहला पुत्र जन्मे तो भी दूसरी बार पुत्र की ही आशा होती है । और जो दूसरा पुत्र न हो, पुत्री हो तो गर्भपात करा देना । क्यों भाई ऐसा ? अभी से, पुत्री जन्मने से

पहले अन्याय करने का ? क्या पुत्री को जन्मने का अधिकार नहीं है ?" रमेश ने सनसना प्रश्न किया ।

"भै सभी लड़कियों को एकत्रित करके क्या करने का ? फिर से नरभा जैसा हो । इसलिए गर्भपात करवाना पड़ता है न ? और इसमें गलत क्या है ?" मोहनचाचा ने सफाई देते हुए कहा ।

"मोहनचाचा अभी तुम्हारी दृष्टि से गलत कुछ नहीं, ऐसा मान लीजिए। किन्तु सब ऐसा सोचें और सबको ही लड़का हो जाए तो आप विचार करो कि बीस पच्चीस साल बाद उसकी शादी करने लायक हो तब आप कन्या कहाँ लेने जाओगे ? क्योंकि सबने लड़के ही अवतरने दिये हैं और लड़की हो तो गर्भपात के जरिए भ्रूणहत्या कर डाला है, इसलिए लड़कियों की तो कमी ही हो गई न !" रमेश ने स्पष्टता करते हुए कहा ।

"तो फिर ये अस्पताल क्यों खोली, लड़कियों को अवतरने ही देनी होती तो !" मोहनचाचा ने सीधा प्रहार करते हुए कहा ।

"मोहनचाचा, आपको गलतफहमी होती है, विज्ञान-विज्ञान का काम करता है । और ये विज्ञान का हमें अच्छे के लिए प्रयोग करने का है । जो आप गलत निर्णय लेकर ये विज्ञान का दुरुपयोग करो तो ये विनाश लाता है ।" रमेश ने वैज्ञानिक रीत से समझाते हुए कहा ।

"क्यों अंग्रेजों के समय में लड़कियों को दूधपीती करने की रस्म नहीं थी ? फिर भी सबको कन्या मिलती ही थी न ?" मोहनचाचा ने फिलसूफी करते हुए कहा ।

"आपकी बात सही है मोहनचाचा । हम आदि काल से ये लड़कियों का नाश करते आये हैं । पहले दूधपीती करते थे, अब गर्भपात के जरिए स्त्री भ्रूणहत्या करते हैं । हम में और दानवों में क्या फर्क है ? बेटियों ने हमारा क्या बिगाड़ा है कि हम उसकी जन्म से पहले ही हत्या कर देते हैं बेटियों तो दो परिवार को संभालती है । कँवारी हो तब पिता का और शादी के बाद पति का घर उजला रखती है । मातृपक्ष और पितृपक्ष दोनों को संभालती है । बेटी तो दो परिवारों को जोड़ती कड़ी है । फिर भी हमारा पढ़ा-लिखा समाज, भारतीय संस्कृति के खिलाफ जाकर बेटियों को जन्म से पहले ही उनको मार डालने का अधम कृत्य करता है, ये कहाँ का न्याय है !" रमेश ने निराशा व्यक्त करते हुए कहा ।

''भाई मुझे पता है, तू तेरी ही पीपूडी बजाया करेगा ।'' मोहनचाचा ने कहा ।

''ऐसा नहीं मोहनचाचा । ये तुम्हारे घर की ही बात करो ! ये तुम्हारे महेश के यहाँ पहला लड़का आया उसका आपको आनंद हुआ और गाँव में पेड़े बाँटे । किन्तु दूसरी बार अस्पताल जाकर परीक्षण किया तो बेटी है ऐसा डाक्टर ने कहा तो गर्भपात करवा दिया । ऐसा ही वो मगन, अरुण, चंदु सब ऐसा ही करेंगे तो लड़कों से पूरा गाँव उभरा जायेगा । किन्तु गाँव में लड़कियाँ तो किसी के घर देखने को ही नहीं मिलेगी, और बीस-पच्चीस साल बाद मैंने कहा इस प्रकार लड़कों को ब्याह करवाने का होगा तब कन्या कहाँ से लाओगे ये सवाल खड़ा होगा ।'' रमेश ने समझाते हुए कहा ।

''ये तो भै भगवान के घर से सब अपना-अपना नसीब लिखवाकर आये हो ऐसा ही होता है ।'' मोहनचाचा ने कहा ।

''किन्तु मोहनचाचा कन्या हो तो उसका नसीब लिखा होगा न । कन्या न हो तो किस्मत कहाँ से लिखायेगा । ये वो दूरदर्शन में विज्ञापन आता है वो नहीं देखा । हाथो में फूलों की माला लेकर वरराजाओं की कतार लगती है, और कहते हैं 'बीस साल बाद ?' इसलिए मोहनचाचा हमें बीस साल बाद का सोचना है ।'' रमेश ने स्पष्टता करते हुए कहा ।

''भाई रमेश तेरी बात समझने लायक तो है ही । लेकिन तू मुझे समझाएगा किन्तु ये सबको तू कहाँ समझाने जायेगा ।'' मोहनचाचा ने नरमाई से कहा ।

''मोहनचाचा सबको जब कन्या के लिए अंधे की तरह खोजना पडेगा, घर-घर धक्के खाने पड़ेंगे, घर-घर भटकना पड़ेगा तब पता चलेगा । अभी तो भले ना समझे ।'' रमेश ने प्रत्युत्तर दिया ।

''रमेश तेरी बात सही है भाई । ऐसे ही ऐसे सभी लड़कियों का नाश करेंगे और जन्मने नहीं देंगे तो बीस साल बाद कन्याओं का अकाल ही पड़ेगा । तेरी बात सही है भाई । और कन्याओं के लिए घर-घर दीया लेकर भटकेंगे तो भी कन्या नहीं मिलेगी । अभी तक तो मुझे ये समझ में नहीं आता था, लेकिन तूने आज सारी बात समझायी तो मुझे सच्ची बात का पता चला । तेरे कहने के मुताबिक हमारा नरेन्द्र मोदी, राजा राम

मोहनराय की तरह भविष्य का विचार करके सुधार के लिए निकले हैं, उनकी ये बुद्धि शक्ति को दाद देने जैसी है भाई ।'' मोहनचाचा पछतावा करते हो इस तरह बोले ।

''तो अब आप ही कहो मोहनचाचा । हमारे हाथों से ही हमारी बेटियों की हत्या करेंगे और वो भी जन्म से पहले, तो हम दानव कहे जायेंगे की नहीं ? हम से ऐसा अधम कृत्य हो सकता है ?'' रमेश ने दाव देखकर कूकरी मारते हुए कहा ।

''नहीं भाई नहीं । हमसे ऐसा नहीं हो सकता । और जो कोई ऐसा करता हो उसको भी समाज ने दंड देना चाहिए और उसको समाज से दूर कर देना चाहिए । ये नरेन्द्र मोदी हमारी भावी पीढ़ी के लिए इतना कुछ सोचते हो, रात-दिन जागकर हमारे लिए इतना भोग देते हैं, तब ये हमारा दोस्त नरेन्द्र मोदी कहता है ऐसा ही करना चाहिए । जा रमेश आज ही गाँव में ढिंढोरा पिटवा दे कि अब के बाद जो कोई गर्भपात कराएगा उसकी खैर नहीं है । उसके पूरे परिवार को समाज से बाहर कर दिया जायेगा ।'' मोहनचाचा ने हुक्म देते हुए कहा ।

''किन्तु ढिंढोरा पिटवाने का दाना कौन देगा ?'' रमेश ने मश्करी करते हुए हंसते-हंसते सवाल किया ।

''ये तो मैं मेरे घर का बीस किलो दाना दे दूँगा । किन्तु तू ऐसा धरम के काम में ढील मत करना । जा अभी के अभी गाँव में ढिंढोरा पिटवा दे ।'' मोहनचाचा ने उत्साह में आकर कहा ।

और तब के बाद मोहनचाचा के गाँव में आज-दिन तक गर्भपात या भ्रुणहत्या करवाने की किसी ने हिम्मत नहीं की ।

4. बिचौलियों को (बीच वालों को) बिठा दिये घर

"ओ हो... हो... मगाभाई आज तो पहले-पहले खेत में जाकर आये क्या ? कौन से खेत में जाकर आये ?" छगाभाई ने मगाभाई से प्रश्न किया ।

"ये वल्ले वाले में जाकर आया । फिर आज तो पूरा दिन फुरसत नहीं मिलने की इसलिए ऐसा हुआ कि चल अभी लटार मार के आऊँ ।" मगाभाई ने उत्तर दिया ।

"क्यों आज कुछ है क्या इसलिए फुरसत नहीं मिलने की ? कहो तो सही ?" छगाभाई ने कहा ।

"अरे क्या आपको पता नहीं है ? ये आणंद मेला है उसकी ?" मगाभाई ने कहा ।

"अणदे (आणंद) कौन-सा मेला ? मैंने तो देश में हनुमानजी का मेला, फागवेल में भाथीजी का मेला, डाकोर में गोकुलाष्टमी का मेला होता है, ऐसा सुना है, पर मेरी जिंदगी में अणदे कौन से भगवान का मेला भराता हो ऐसा अब तक सुना नहीं है ?" छगाभाई ने कहा ।

"अरे भाई ये भगवान का मेला नहीं । ये तो गांधीनगर में वो हमारे मुख्यमंत्री नरेन्द्र मोदी बैठे हैं न उन्होंने मेला किया है ।" मगाभाई ने कहा ।

"हें ये भी मेला भरते हुए हो गये क्या ? पर मगा वो 'हमारे मुख्यमंत्री' ऐसा क्यों कहा उसका पता नहीं चला ।" छगाभाई ने कहा ।

"वो हमारे ही हुए न !" मगाभाई ने कहा ।

"हमारे कैसे हुए ! हमारा तो वो रामभाई कहा जाय, रामभाई ! हाँ ।" छगाभाई ने कहा ।

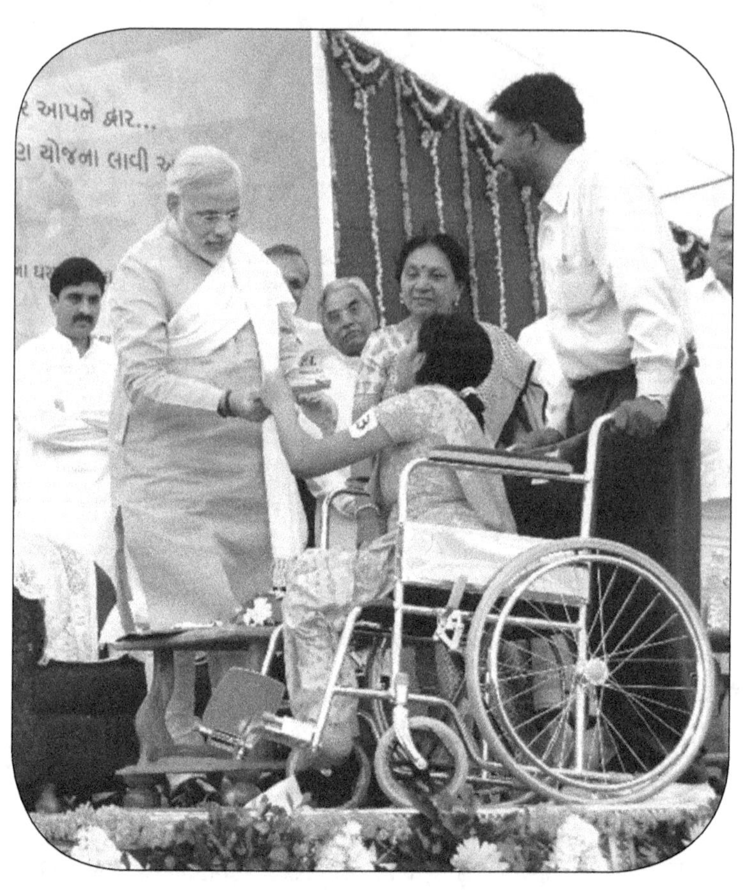

"क्यों रामभाई हमारा कहा जाय ?" मगाभाई ने सवाल किया ।

"क्यों तुझे पता नहीं । इतनी देर में भूल गए ? ये दो साल पहले गाँव में वो सफेद टोपी और सफेद कपड़े वाले प्रधान आये थे और कहा था कि जिसको भी भेंस लानी हो उसको सरकार लोन देंगी । तो हमारे गाँव में से दस लोगों की लोन पास हुई थी । ये हमारे रामभाई की वजह से । आपकी औकात थी कि आप सरकार से लोन लेकर आओ ?" छगाभाई ने कहा ।

"भाई रामभाई ने लोन दिलवाने के लिए सब के पास से हज़ार-हज़ार रुपया लिया और लोन पास करवाई इसमें नया क्या किया ?" मगाभाई ने कहा ।

अपना दोस्त–नरेन्द्र मोदी

''तो इसमें क्या ? ये
बेचारा दो-चार बार तहसील
जा आया, जिले में जाकर
आया । तब भी वो साहब
न माना तो उसके पास भी
रामभाई जाकर आया और लोन
मंजूर कराके आया । ऐसे ही

कोई अपना काम छोड़कर थोड़ा दौड़ेगा ! उसको भी खर्च होगा न !
किन्तु ये तुम्हारे लिए बेचारा दौड़ता था और आज आप उसको छोड़कर
ऐसा कहते हो कि 'हमारा नरेन्द्र भाई ।' काम था तब रामभाई रामभाई
करते थे और अब उसको छोड़ दो ऐसा थोड़ा ही चलता होगा ?''
छगाभाई ने कहा ।

''ऐसा नहीं छगाभाई, रामभाई काम करते थे उसकी ना नहीं । किन्तु
ये नरेन्द्र भाई तो ऐसा गरीब कल्याण मेले करके सभी गरीबों को ढूँढ
लेते हैं और ये लोगों को जिसको जैसी जरूरत होती है इस के मुताबिक
लाभ देते हैं ऐसा मैंने सुना है । इसलिए मुझे अणदे (आणंद) जाना है ।''
मगाभाई ने कहा ।

''तूने सुना है न ! तूने अपनी आँखों से नरेन्द्र मोदी को किसी को
कुछ देते हुए देखा है, सही ?'' छगाभाई ने सवाल किया ।

''इसलिए तो अणदे जाना है - अपनी आँखों से देखने को तो अणदे
जाना है ।'' मगाभाई ने कहा ।

''ये हमारी मंगुडी जब विधवा हुई तब ये हमारे रामभाई आगे आकर
खड़े रहे और मंगुडी को कहा कि, 'तू फिकर मत कर । मैं बैठा हूँ न !'
इतनी हाम हमारे रामभाई ने उसको दी थी, और ये मंगुडी के लिए सब
जगह दौड़-दौड़कर मंगुडी को विधवा पेन्शन भी बंधवा दिया । ये भी
पन्द्रह दिनों में ही लो । गाँव में किसी की ताकत है इतनी तेजी से काम
करने की ? ये रामभाई ने करके बताया ।'' छगाभाई ने कहा ।

''ये हमारे रामभाई हैं न वो मंगुडी के पास से पेन्शन आने पर हर
बेमास सौ रुपये ले जाते हैं । इसका तुझे कहाँ पता है !'' मगाभाई ने
कहा ।

"तो ले, ले जाय बेचारा ! रामभाई आप के लिए रात-दिन फिरते हैं तो ले ही जाय । मूआ ले जाय तो, किन्तु मंगुडी को तो हर माह पाँच सौ रुपये आना शुरु हो गये, ये क्यों भूलते हो । बेचारी को इतना तो सहारा हो गया !" छगाभाई ने कहा ।

"छगाभाई आपको नहीं लगता कि ये नरेन्द्रभाई आये तब से ये बार बार तूफान होते थे लोगों का नुकसान होता था ये सब खत्म हो गया हो ऐसा नहि लगता ?" मगाभाई ने बात बदलते हुए सवाल किया ।

"भाई तेरी ये बात सही । किन्तु जब तूफान होते थे तब हमारे रामभाई खड़े रहकर दुकान लूटवाते थे । और कहते कि आप सब लूट जाओ ये तक-मौका है । मैं बेठा हूँ । आपको जितना चाहिए उतना लूट जाओ । आपका बाल बांका नहीं होने दूँगा । रामभाई की इतनी पहुँच तो सही थी । इतना कुछ होने पर भी गाँव में किसी को कुछ नहीं होने दिया था । वो रमण ने लूटकर लाये हुए सामान से दुकान भी शुरु की और आज शेठ बन गया । ये सब रामभाई का प्रताप । रामभाई की पहुँच ऊपर तक थी ।" छगाभाई ने कहा ।

"तो अब ये रामभाई क्यों कोई ऑफिस में नहीं जाते हैं ?" मगाभाई ने सीधा सवाल किया ।

   अपना दोस्त-नरेन्द्र मोदी

"भाई अब भी जाते हैं लेकिन ये तुम्हारे नरेन्द्र मोदी हैं न ये किसी का सुनते ही नहीं । और आप कहते हो कि हमारे नरेन्द्र मोदी ।" छगाभाई ने कहा ।

"ये तो अच्छा ही कहा जाय न ?" मगाभाई ने बात इतने में रोक दी ।

"क्या अच्छा कहा जाय ? हमारे काम रुक गये न !" छगाभाई ने नि:सासा डालते हुए कहा ।

"भाई ये तो समझने की बात है । हमारा एक भी काम रुके नहीं । ये नरेन्द्रभाई आये हैं तब से ये सब अफ़सर लोग ध्रूजते हो गये हैं, कि किसी का एक रुपया भी लिया तो हमारी आ बनी । और इसलिए तो रामभाई जैसे का काम रुक गये हैं ।" मगाभाई ने कहा ।

"तो लो हमारे काम रुक गये इसमें गलत हुआ कि अच्छा हुआ कहा जाय ? आप ही कहो मगाभाई ?" छगाभाई ने सवाल किया ।

"अच्छा ही कहा जाय न । गाँव में किसी को कुछ चाहिए, खाद की सबसीड़ी चाहिए, अरे बच्चों की फीस माफी के लिए सरपंच या तलाटी (मुखिया) का प्रमाणपत्र चाहते हो इसमें भी रामभाई पाँच रुपये लेकर प्रमाणपत्र लाकर देते थे । और अपनी जेब भरते थे । और कँधे पे खलता रखकर गाँव में रौब से फिरते थे और अपने आप को सेवक कहलाते थे ।" मगाभाई ने कहा ।

"भाई ये रामभाई हैं तो सब काम होते थे । अब तो सब बंद हो गया ।" छगाभाई ने नि:सासा डालते हुए कहा ।

"बंद नहीं हो गया छगाभाई । अब तो नया युग शुरू हुआ है, नया युग । आप ध्यान से देखो ।" मगाभाई ने कहा ।

"नया युग किस तरह मगाभाई ? छगाभाई ने कहा ।

"क्यों आपको पता नहीं ? पहले तो आप गाँव में तलाटी के पास नकल लेने जाते थे तब आपको दश धक्के करवाते और ये दश धक्के खाने के बाद भी सात-बारह की नकल मिले, तब तक ना मिले । सरकारी ऑफिस में जाओ तो आपको कोई पूछता भी नहीं था । और अब तो आप जाओ कि तुरन्त आपका काम कम्प्युटर पर हो जाय ये नरेन्द्र मोदी ने व्यवस्था की है ।" मगाभाई ने कहा ।

''न हो ! मुझे भेंस लानी है इसलिए पंद्रह दिन से रामभाई के पीछे-पीछे दौड़ता हूँ । लेकिन रामभाई हाथ में ही नहीं आते हैं ।'' छगाभाई ने कहा ।

''तो अब रामभाई के पीछे दौड़ना छोड़कर ग्रामसेवक और तलाटी के पास जाओ तो पलभर में सब हो जायेगा । और जो ग्रामसेवक या तलाटी न माने तो एक पोस्टकार्ड लिख देने का नरेन्द्र मोदी के नाम । देखो फिर ये तलाटी और ग्रामसेवक का कैसा हाल होता है ।'' मगाभाई ने कहा ।

''ये सब बाद में पर मुझे भी नरेन्द्र मोदी कैसे हैं, ये देखने को तुम्हारी साथ अणदे आना है ।'' छगाभाई ने कहा ।

''तो चलो । एक से भले दो । हम दोनों मेला देखने अणदे जायेंगे ।'' मगाभाई ने कहा ।

और मगाभाई और छगाभाई दोनों आणदे गरीब कल्याण मेला देखने गये ।

मेले में माननीय मुख्यमंत्री श्री नरेन्द्र मोदी ने जिसने नाम लिखाये थे, फोर्म भरे थे उसमें से कौन-कौन जरूरतमंद हैं, उसको पसंद करके गरीब कल्याण मेले में साधन, रुपये, मशीन, ट्रैक्टर, दवा छिड़कने का पंप, घर के लिए जमीं का प्लॉट, धान, साईकिल, सुथारी काम के साधन, कडिया काम के साधन, लारी ये सब देते हुए मगाभाई और छगाभाई ने देखा ।

ये सब देने के बाद नरेन्द्र मोदी ने अपने भाषण में कहा कि, ''ये सब में से कोई चीज खराब निकले या रंग करके दी है तो मुझे एक पोस्टकार्ड लिखना । ये दुकानदार का मूल न निकाल दूँ तो मुझे कहना। और ये जो-जो चीजें दी हैं उनकी यादी बनाकर गाँव के चौराहे पर रखना । जो कोई गलत आदमी चीज ले गया हो तो मुझे कहना उसकी मैं खैर नहीं छोडूँगा ।''

ये देखकर छगाभाई बहुत खुश हो गये । उन्होंने भी सोचा कि मैं भैंस की लोन लेने रामभाई के पीछे-पीछे फिरूं इसके बदले ला ग्रामसेवक को ही मिलूं । और दूसरे दिन छगाभाई चौरे में-समाज मंदिर में जाकर ग्रामसेवक को मिले ।

ग्रामसेवक ने फॉर्म भर के जरूरी विधि करके दो दिन में ही छगाभाई को भैंस लाने की लोन मिल गई ।

ये सब रामभाई को पता हो गया इसलिए रामभाई ने छगाभाई को कहा, ''अरे, छगा क्या मैं तुझे लोन नहीं दिलवाता था तो तू सीधा ग्रामसेवक के पास पहुँच गया ?''

''रामभाई मैं तो आपके पीछे-पीछे पंद्रह दिन से फिरता हूँ, किन्तु आप धक्के खिलाते रहते हो । ये तो कल मैं अणदे गया था तो वहाँ हमारे मुख्यमंत्री नरेन्द्र मोदी आये थे । उन्होंने गाँव में से ढूँढ-ढूँढकर गरीबों को सहाय की और कहा कि रामभाई जैसे बिचौलिया, आडतिया, दलाल, झोलाछापों को निकाल दो और तुम्हारे हक का तुम ले जाओ । आप तो हमारे में से भी हिस्सा करवाते थे । अब तो दलाली के दिन गये । अब तो नरेन्द्र मोदी गाँव-गाँव और घर-घर आकर दे जाते हैं फिर तुम्हारी जरूरत कहाँ है ?'' छगाभाई ने कहा ।

इतने में वहाँ से मगाभाई निकले उन्होंने छगाभाई को देखकर पूछा : ''कैसे हो छगाभाई । भैंस की लोन मिल गई कि नहीं ?''

''अरे लोन भी मिल गई और भैंस भी आ गई और वो भी एक रुपया दिये बिना ।'' छगाभाई ने कहा ।

''तो ये नरेन्द्र मोदी हमारा दोस्त हुआ कि नहीं ?'' मगाभाई ने कहा ।

ये सुनकर रामभाई कुछ पूछने भी न रहे और मूंडी नीची करके जल्दी से चले गये ।

5. श्रद्धा दीपक

गुजरात के मुख्यमंत्री नरेन्द्रभाई मोदी रशिया की मुलाकात गये थे । वहाँ से वापस आते ही उनको स्वाईन फ्लू हो गया था । स्वाईन फ्लू के चिह्न दिखते ही गुजरात में ही नहीं पूरे विश्व में चहल-पहल हो गई । मुख्यमंत्री के निवास स्थान पर रातों-रात आईसोलेसन वोर्ड खड़े कर दिये गये । मुख्यमंत्रीश्री की देखभाल के लिए पाँच डॉक्टरों की टीम तैनात हो गई । मिनट-मिनट का हिसाब डॉक्टर रखते थे ।

देश-विदेश से नरेन्द्रभाई की खबर पूछने फोन, फेक्स, संदेश का स्रोत शुरू हो गया । गाँव-गाँव और गली-गली पे लोग मुख्यमंत्री की नादुरस्त तबियत के समाचार मिलते ही प्रार्थना, दुआ, बंदगी करने लगे । जिसको योग्य लगा वैसी मानता रखने लगे । भगवान शंकर को मानने वाले पैसे वाले लोग सोने का नाग बनाने की मानता रखते । माताजी को मानने वाले लोग पाँच ग्राम सोने का छत्तर या एक किला चाँदी का छत्तर चढ़ाने की मानता रखते । कोई सवाशेर, सवाकिला, सवाटिला सुखड़ी, शक्कर या गुड़ चढ़ाने की मानता रखते । कोई पाँच रविवार करने की, पाँच मंगलवार करने की, ग्यारह एकादशी या पाँच पूर्णिमा के दिन दर्शन करने की मानता रखते थे ।

दो महीने पहले ही मुख्यमंत्रीश्री ने एक लड़के को उनके पिता के मृत्यु के बाद उनकी जगह रहमराहे नौकर के पद पर फिक्स १५०० रुपये में नौकरी पर रखा था । उनके पिता भी स्वाईन फ्लू के रोग का शिकार हुए थे । केवल तीन दिन में ही तीसरे स्टेज पर स्वाईन फ्लू हो जाने से डॉक्टरों ने हाथ धो डाले थे । ये तीन दिन में तो उसके पिता की सभी बचत, घर-बार बेचकर उनकी माता ने दवाई की, किन्तु परिणाम नहीं मिला । उनके पिता भगवान को प्यारे हो गये । पिता को बचाने के लिए माता ने सब कुछ बेच डाला, लेकिन कुछ काम न आया और पूरा

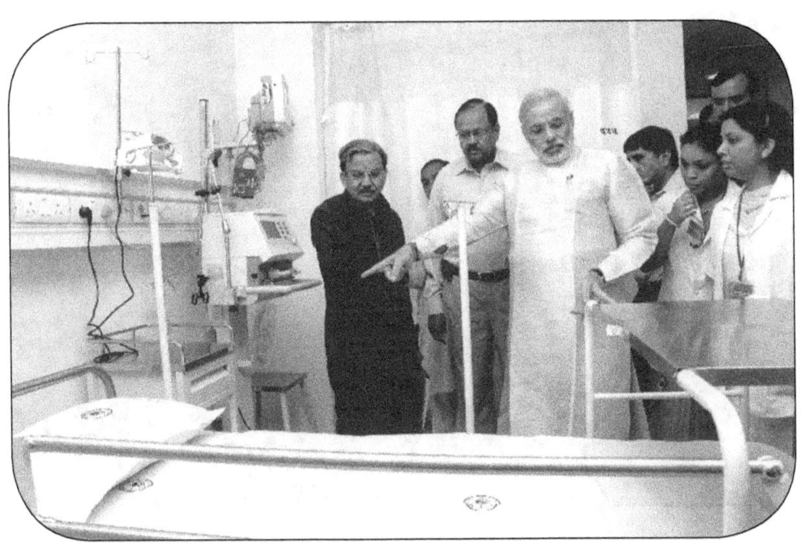

परिवार रास्ते पर आ गया और कर्ज के पहाड़ के नीचे दब गया । पिता के मृत्यु के छ: महिने बाद इनको रहमराहे रुपये १५०० के फिक्स पगार की नौकरी मिली । लेकिन इतनी महँगाई में १५०० रुपये में क्या हो ? फिर भी मन मनाकर पुत्र नौकरी पर लग गया ।

हर माह १२०० रुपये किराये का मकान लेकर लड़का नौकरी जाने लगा । माता भी इधर-उधर लोगों के घर काम करके हर माह ५००-६०० रुपये कमाती । दोनों माँ और बेटे को माह २००० रुपये आने लगे किन्तु उनको हर माह रुपये १२०० तो मकान का किराया देना पडता, इसलिए ७००-८०० रुपये में ही जैसे-तैसे गुजारा करना पड़ता ।

सारा गाँव, सारा राज्य और सारा विश्व जब नरेन्द्र मोदी के लिए मानता रखते हो तब ये माँ और बेटे को भी नरेन्द्र मोदी की चिंता होने लगी । अपने को भी नरेन्द्र मोदी ने रहमराहे नौकरी दी है उसके नाते भी कुछ करना चाहिए ऐसा विचार आया । पर वो क्या मानता रखे ! उन दोनों के बीच महिना निकालने को केवल ७००-८०० रुपये ही हाथ पर रहते थे । फिर भी माँ-बेटे ने अपने से जो हो सके, क्यों न थोड़ा और दु:ख सहन करना पड़े किन्तु नरेन्द्र मोदी अच्छे हो जायेंगे तो पाँच दीया और श्रीफल की मानता रखी । और दूसरे

ही दिन अखबार, रेडियो और टी.वी. पर समाचार आया कि नरेन्द्र मोदी की तबियत सुधार पर है और वे अब अपने कमरे में चल फिर सकते हैं और खाने में जूस और खिचड़ी जैसा हलका खुराक भी लेते हैं । ये सुनकर माँ और बेटे के आनंद का पार न रहा । उनको ऐसा हुआ कि भगवान ने हमारी दुआ सुन ली और हमें अन्न देने वाले अन्नदाता को कुदरत ने बचा लिया है, ये जानकर माँ और बेटा बहुत खुश हुए । एक सप्ताह में नरेन्द्र मोदी अच्छे हो गए और दफ्तर में जाकर अपना कार्य भी शुरू कर दिया ।

दूसरे महिने माँ और बेटे ने सोचा कि अब हमें भगवान की रखी हुई मानता पूरी कर देनी चाहिए । किन्तु ७००-८०० रुपये में वो क्या करें ? फिर भी दस रुपये का श्रीफल और दस रुपये का घी लाकर पाँच दीया करके श्रीफल की मानता पूरी की ।

थोड़े दिनों के बाद मुख्यमंत्रीश्री का एक गाँव में पानी की टंकी का उद्घाटन कार्यक्रम था । माँ और बेटा नरेन्द्र मोदी की तबियत देखने बगल के गाँव पहुँच गये, और सोचने लगे कि अभी मुख्यमंत्रीश्री आयेंगे और हम उनके दर्शन कर लेंगे । माननीय मुख्यमंत्रीश्री आये संबोधन करके वापस भी चले गये पर मुख्यमंत्रीश्री के सुरक्षावालों ने ये लड़के को नजदीक जाने ही नहीं दिया और चरणस्पर्श भी नहीं करने दिया ।

 अपना दोस्त-नरेन्द्र मोदी

मुख्यमंत्रीश्री तो रात को आकर अपने बंगले में सो गये । पर इस रात को उनको चैन नहीं था । आधी रात तक नींद नहीं आयी । और जब नींद आयी तो एक सपना आया । सपने में माताजी खुद आये और नरेन्द्र मोदी को कहा कि, 'बस यही तेरा धर्म है ? जिस माँ और बेटे ने तेरे जीवन के लिए भूखा रहकर मानता पूरी की और उनकी मानता से तूं स्वाइन फ्लू से बच गया और आज वो तेरे दर्शन करने, तेरी चरणरज लेने घंटे तक खड़े रहे फिर भी तूने दर्शन भी नहीं दिये । ये लड़का तेरे यहाँ नौकरी करता है, किन्तु तूने उनको पहचानने की तस्दी भी नहीं ली ? देखो ये लड़का तुम्हारे यहाँ नौकरी करता है और उसकी माँ झाड़ू-पोता-बर्तन करती है । सब ने भले बड़ी-बड़ी बाधाएँ रखीं, किन्तु माँ और बेटे ने जो बाधा न रखी होती तो... ? उनकी दुआ ही काम आयी है । किसी भी स्वार्थ बिना इन्होंने अच्छी आराधना की है ।' इतना कहकर माताजी ये लड़का और उनकी माँ का चेहरा नरेन्द्र मोदी के सामने रखकर अदृश्य हो गए ।

नरेन्द्र मोदी सपने में से जाग गये और बैठे गये ।

सुबह तुरन्त ही नरेन्द्र मोदी ने अपने विभाग के सभी सेवकों को बुलाया और कहा कि मुझे जब स्वाईन फ्लू हुआ तब पूरे विश्व में से सब लोगों ने बाधा रखी । छोटे से लेकर बड़ों ने, गरीब से लेकर तवंगरों

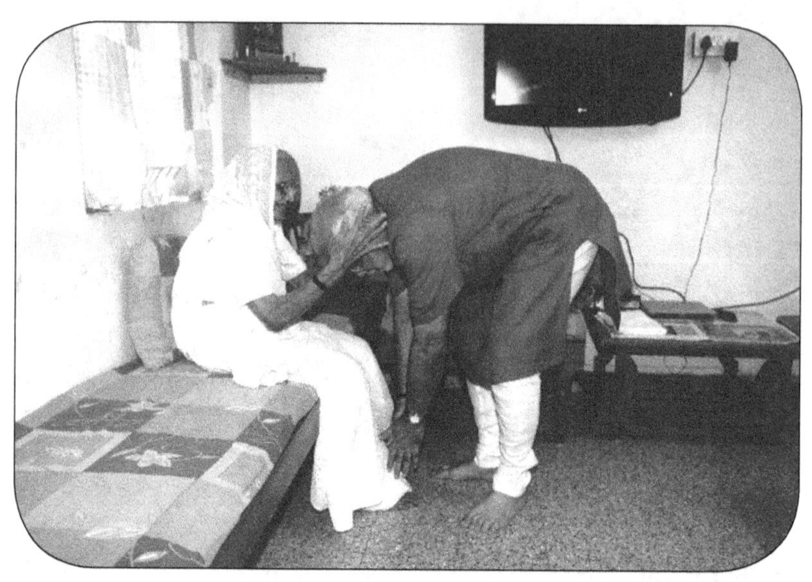

ने अपनी शक्ति के मुताबिक बाधाएँ रखीं । किन्तु दोस्तों आपमें से एक आदमी ऐसा है कि जिसके पास कुछ नहीं है । ज्यों-त्यों अपने दिन काटता है । एक श्रीफल लाने का भी पैसा नहीं है । और जब ऐसी व्यक्ति ने मेरी तबियत के लिए बाधा रखी है और ये बाधा भगवान ने सुन ली और ये बाधा निःस्वार्थ भाव से-किसी भी स्वार्थ बिना रखी थी । बड़ी व्यक्तियों की बाधाएँ तो अखबार में भी आ गई कि एक किलो चांदी का मुकुट चढ़ायेंगे, पाँच टिला शक्कर से तोलने का, किन्तु जब इस व्यक्ति को तो एक वक्त खाने के भी लाले हैं तब मेरे जीवन के लिए बाधा रखी है और वो भगवान ने सुन ली है । उसकी निःस्वार्थ सेवा से ही मैं आज आपके समक्ष खड़ा हूँ । ऐसे व्यक्ति को मुझे नमन करने का मन करता है, ये व्यक्ति हमारे बीच है ऐसा कहकर नरेन्द्र मोदी उस व्यक्ति का नाम देकर उसको प्रमोशन देकर बधाई देते हैं । और इनको रहने के लिए सरकारी आवास भी दे देते हैं । माँ और बेटे की आँखों में हर्ष के आँसू आ जाते हैं ।

निःस्वार्थ भाव से, अडग श्रद्धा से और सच्चे मन से की हुई सेवा कभी भी फोगट (व्यर्थ) नहीं जाती । अडग श्रद्धा का दीप सदा जलता ही रहेगा ..... जलता ही रहेगा ।

6. रुखड़ी का उद्धार

गुजरात के अंतिम छोर पर आया हुआ छोटा-सा गाँव । ये गाँव में ठाकोर समाज के परिवार के अलावा दूसरी कोई बस्ती ही ना मिले । कितने लोग इच्छा हो तो मजदूरी जाय, नहीं तो गाँव के कोई कोने में चलती शराब की भट्ठी पे जाकर, शराब पीकर पूरा दिन पड़े रहते ।

इस गाँव में जालमसंग का परिवार रहता था । परिवार में पत्नी और एक बेटी रुखड़ी । जालमसंग मजदूरी करके अपने परिवार का पोषण करता था । रुखड़ी पढ़ने में बहुत होशियार भी थी लेकिन उनको पढ़ाये कौन ! बाप मजदूरी करे और माँ सारा दिन गाँव के लोगों का काम करें । गाँव में सातवीं कक्षा तक की शाला थी इसलिए रुखड़ी की माँ ने ज्यों-त्यों करके रुखड़ी को सातवीं कक्षा तक पढ़ाया, फिर तो पाँच किलोमीटर दूर आये हुए गाँव में आठवीं कक्षा में जाने का । और उसमें भी बस की सुविधा नहीं इसलिए पैदल जाना पड़ता । इसलिए रुखड़ी के पिता ने कहा, 'अब बेटियों को पढ़ाकर क्या करने का ? उनको तो कुआ, तालाब, कुड़ा और चूल्हा-चौका ही करने का न ? इसलिए पाठशाला नहीं भेजना ।' ऐसा कह कर पढ़ाने का बंद करवा दिया । किन्तु रुखड़ी को अंदर से पढ़ने की तीव्र इच्छा थी । उसने अपनी माँ और बाप से कहा :

"बापा मुझे बड़ी शाला में जाना है और बड़ा साहब बनना है ।"

"बैठ अब पढ़ने वाली ना देखी हो तो । पढ़कर बड़ी शिक्षिका (बहन) होने वाली न देखी हो तो ?" जालमसंग ने क्रोधित होकर उग्र स्वर में कहा ।

रुखड़ी बेचारी बाप के आगे कुछ न बोल सकी इसलिए उसने अपनी माँ को कहा । माँ भी इनके पिता के आगे बेचारी थी इसलिए वो भी कुछ न कर सकी । इसलिए रुखड़ी ने पड़ोस में रहने वाले हिंमतचाचा को कहा :

''चाचा मुझे शाला जाना है लेकिन मेरे पिता मुझे जाने नहीं देते । आप कहो मुझे शाला भेजें ।''

''अच्छा बेटा, आज ही मैं तेरे पिता को कहूँगा ।'' ऐसा कहकर हिंमतसंग ने रुखड़ी को हिम्मत दी ।

दूसरे दिन हिंमतसंग ने जालमसंग को कहा : ''भाई जालमसंग ये तेरी बेटी रुखड़ी पढ़े ऐसी है, उसको पढ़ा ।''

''हिंमतसंग, अब लड़कियों को पढ़ाने की क्या जरूरत है ? थोड़े ही वर्षों में उसका हाथ पीला कर दिया तो गंगा स्नान किया समझो ।'' जालमसंग ने कहा ।

''किन्तु बेटी पढ़ेगी तो अच्छा लड़का मिलेगा । वरना ये तेरी तरह कोई मजदूरी करने वाला मिलेगा तो उसकी जिंदगी बिगड़ जायेगी । इसलिए बेटी पढ़े ऐसी है तो पढ़ाओ ।'' हिंमतसंग ने जालमसंग को समझाते हुए कहा ।

''भै हिंमतसंग, हमारा जीवन तो मजदूरी में ही गया और सबका भी जायेगा । हमें बेटी को पढ़ाकर कहाँ बड़ी बहन (शिक्षका) बनानी है । उनको तो कचरा-पोता, पानी और चूल्हा का काम ही करने का है न फिर पढ़ाने का क्या अर्थ ? और हमारे पास इतने पैसे कहाँ हैं तो हम पढ़ा सके ?'' ठंडा पानी डालते हुए जालमसंग ने कहा ।

''ना भाई ना । लड़की पढ़े ऐसी है उसको तू पढ़ा । ये लड़की तेरा और गाँव का नाम रोशन करे ऐसा उनका दिदार मुझे दिखता है ।'' हिंमतसंग ने कहा ।

''अब यहाँ शाला भी कहाँ है हिंमतसंग । और बगल के गाँव पाँच किलोमीटर पैदल जाना लड़की के लिए अच्छा नहीं ।'' जालमसंग ने कहा ।

''भै ऐसी चिंता नहीं करने की । ये तो लड़की जायेगी और आयेगी । किन्तु तू उनको शाला में भेज ।'' हिंमतसंग ने हिंमत से कहा ।

हा-ना, हा-ना करते हुए दूसरे ही दिन जालमसंग और हिंमतसंग दोनों जाकर बेटी को बगल वाले गाँव की शाला में दाखिल करके आये ।

रुखड़ी हर रोज सुबह में उठकर, घर का काम पूरा करके चलती-चलती बगल वाले गाँव की शाला में पढ़ने जाती ।

     अपना दोस्त-नरेन्द्र मोदी

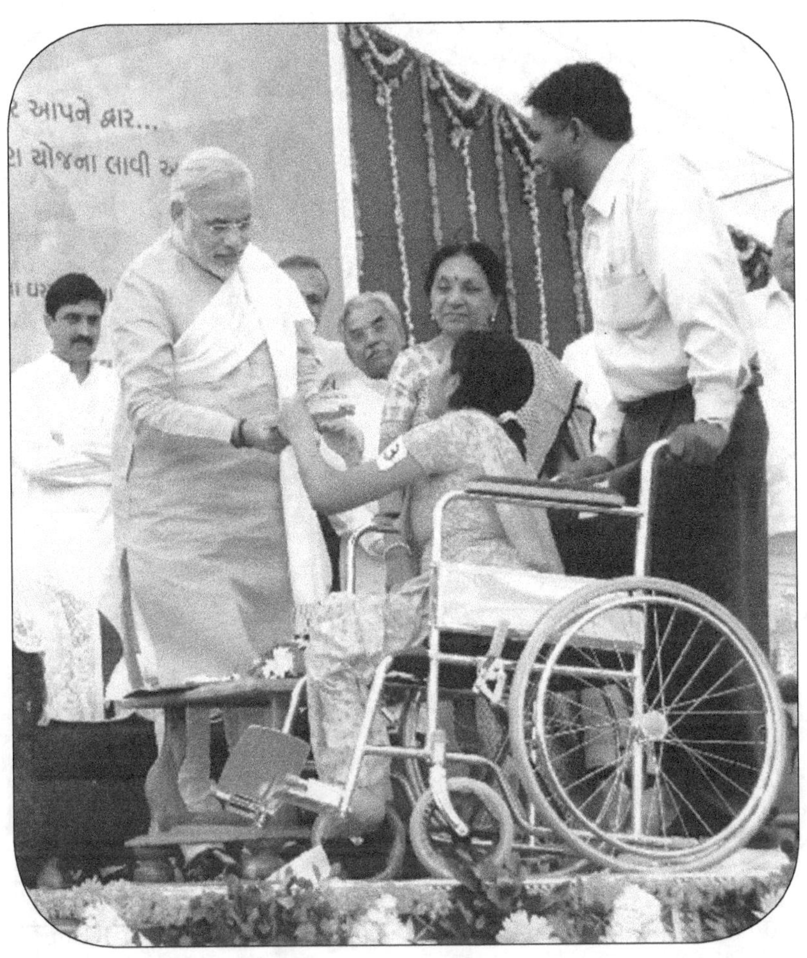

थोड़े दिनों के बाद रुखड़ी की शाला में मुख्यमंत्री श्री नरेन्द्रभाई मोदी आने वाले थे इसलिए शिक्षक उनकी तैयारी में लग गये थे । छात्र मुख्यमंत्री के स्वागत करने को और देखने को उत्साहित हो रहे थे । स्वागत गीत के लिए रुखड़ी ने भी बहुत मेहनत की थी ।

मुख्यमंत्री श्री नरेन्द्रभाई मोदी आये । सबने पुष्प गुच्छ से स्वागत किया । रुखड़ी और दूसरी कन्याओं ने स्वागत गीत गाकर मुख्यमंत्रीश्री का स्वागत किया । इस समय मुख्यमंत्रीश्री नरेन्द्रभाई मोदी ने शाला में पढ़ने वाली सब लड़कियों को साईकिल, स्कूल बेग, पुस्तकें, गणवेश

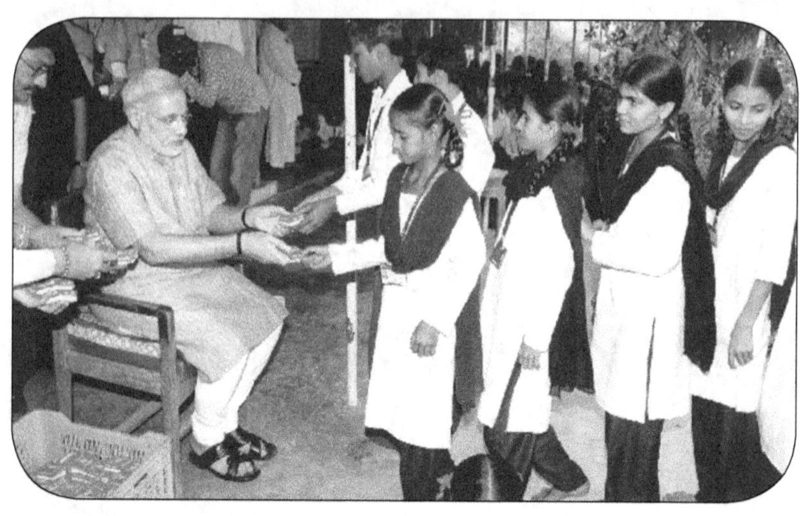

और एक-एक हज़ार रुपये का विद्यालक्ष्मी बोन्ड भी दिये । इसलिए सभी कन्याएँ खुश हो गई ।

रुखड़ी को तो साईकिल चलाना भी नहीं आता था इसलिए रुखड़ी के बाप जालमसंग ने साईकिल बेचने को कहा लेकिन रुखड़ी मानी ही नहीं । और कहा कि मुख्यमंत्रीश्री ने साईकिल पढ़ने के लिए दी है, बेचने के लिए नहीं । रुखड़ी धीरे-धीरे साईकिल चलाने सीख गई और थोड़े ही दिनों में वो साईकिल लेकर शाला भी जाने लगी ।

साईकिल के कारण रुखड़ी का समय बच गया और उसको पढ़ने का पूरा समय मिलने लगा । इसलिए वे शाला में पहले नम्बर-अव्वल नम्बर से पास हुई । इसके बाद तो रुखड़ी ने पंद्रह किलोमीटर दूर आयी तहसील की पी.टी.सी. कॉलेज में प्रवेश लेकर कॉलेज का अभ्यास भी पूर्ण किया । रुखड़ी को कॉलेज पूर्ण करने के बाद शिक्षिका की नौकरी भी मिल गई ।

रुखड़ी अपने माँ-बाप की एक मात्र संतान थी । माँ-बाप की मृत्यु हो जाने से वतन के गाँव में उनको आना-जाना नहीं होता था । थोड़े वक्त बाद रुखड़ी का तबादला हो गया और उसको उसके वतन के जिले में ही रखा गया ।

रुखड़ी अब रुखड़ी नहीं रही थी, किन्तु शिक्षिका रुक्मणी जे. जादव के नाम से पहचानी जाती थी ।

थोड़े वक्त बाद रुक्मणी जिस शाला में पढ़ती थी वहाँ के आयोजकों और शिक्षकों ने, मुख्यमंत्री नरेन्द्र मोदी आने वाले हैं इसलिए एक कार्यक्रम का आयोजन किया । और निर्धारित दिन मुख्यमंत्री आये । कार्यक्रम के अंत में मुख्यमंत्रीश्री ने अपने वरद् हस्ते शाला की कन्याओं को साईकिल, दफ्तर, पुस्तकें, गणवेश और पाँच-पाँच हजार रुपये का विद्यालक्ष्मी बोन्ड भी दिया और जिले के श्रेष्ठ कर्मशील शिक्षकों का बहुमान किया । जिसमें श्रेष्ठ शिक्षिका रुक्मणी जे. जादव का भी सम्मान किया गया ।

कार्यक्रम के अंत में मुख्यमंत्री श्री नरेन्द्रभाई मोदी ने अपने भाषण में कहा: ''एक साईकिल से आदमी का जीवन कैसे बदल जाता है उसका जीता जागता उदाहरण आपकी आँखों के सामने आपके ही गाँव की शिक्षिका रुक्मणी जे. जादव है ।''

'ये तुम्हारे ही गाँव की शिक्षिका' ऐसा कहा तो सब लोग शिक्षिका रुक्मणी को अनिमेष देखने लगे ।

रुक्मणी जे. जादव को मंच पर बुलाने पर उसने अपने वक्तव्य में कहा : ''मुझे जो मुख्यमंत्री श्री नरेन्द्रभाई मोदी ने साईकिल न दी होती तो शायद मैं कभी न पढ़ सकी होती और आज इस जगह पे पहुँची न

होती । इसलिए हरेक माँ-बाप को अपनी बेटियों को पढ़ाना चाहिए और बेटियों को भी पढ़ना चाहिए । जिससे वे अपना और अपने परिवार को निरक्षरता में से बाहर लाकर उज्ज्वल जीवन जी सकें । और वे गाँव का, राज्य का, और देश के विकास में सहभागी बन सके ।''

इतने में दूर बैठे हुए और मुख्यमंत्री को देखने आये हुए हिंमतसंग ने आँखों पर हाथ रखके देखा और बोले : ''अरे मगनिया देख तो ये बोलती है ये लड़की वो जालमसंग की रुखड़ी जैसी नहीं लगती ?''

''हाँ चाचा, लगती है तो बिलकुल उनके जैसी ही । किन्तु ये है या दूसरा कोई इसका क्या पता ? और वे बैठी है वहाँ तो पुलिस वाले जाने भी नहीं देंगे । वरना पूछते कि तू जालमसंग की बेटी है न !'' मगन ने हिंमतसंग को उत्तर दिया ।

''अरे किसी के पास चिट्ठी लिखवाकर भेज कि हिंमतचाचा तेरे से बात करना चाहते हैं ।'' हिंमतसंग ने मगन को कहा ।

मगन ने एक लड़के के पास चिट्ठी लिखवायी और पुलिसवाले के जरिए रुक्ष्मणी को भिजवायी ।

चिट्ठी पढ़कर रुखड़ी बहुत खुश हो गई और मुख्यमंत्रीश्री की आज्ञा लेकर हिंमतचाचा को मंच पर आकर दो शब्द बोलने को कहा ।

हिंमतसंग को पुलिसवाले मंच पर ले गये । रुखड़ी और हिंमतसंग गले मिले और दोनों की आँखो में से आँसू बहने लगे ।

''बेटा तू अब तक कहाँ थी । तू तो बहुत बड़ी बहन (शिक्षिका) बन गई ।'' हिंमतसंग ने आनंद के आँसू के साथ साश्चर्य कहा ।

''चाचा आपने मेरे बापुजी को समझाया न होता तो मैं न पढ़ सकी होती, और आज भी हमारी सीम में लकड़ियाँ ही एकत्रित करती होती । चाचा आपका आभार कैसे मानू !'' रुखड़ी ने कहा ।

''बेटा आभार तो हमें नरेन्द्रभाई का मानना चाहिए कि उन्होंने तुझे साईकिल दी और तू पढ़ी । वरना ये पछात गाँव में तुझे कौन पढ़ाने वाला था ।'' ऐसा कहकर हिंमतसंग ने ग्यारह रुपये दीकरी (बेटी) रुखड़ी को दिये ।

रुखड़ी ने इसमें एक हज़ार रुपये देकर हिंमतसंग के नाम एक हज़ार ग्यारह रुपये मुख्यमंत्री के कन्या केलवणी निधि में दिये ।

हिंमतसंग ने कहा कि, ''भाई पहले के जमाने में राजा प्रजा का सुख-दुःख देखने को बेशपल्टा करके रात को निकलते थे । इस प्रकार हमारा ये नरेन्द्र भाई प्रजा का सुख-दुःख देखने आज हमारे गाँव तक आये हैं ये हमारे लिए भाग्य की घड़ी कहा जाय । भाई कितने ही प्रधान हो गये, पर कोई आज तक ये पछात गाँव में आया क्या ? आज ये नरेन्द्र भाई पहला ऐसा प्रधान है कि इन्होंने अपने पवित्र कदम रखकर अपना गाँव पावन किया । उन्होंने हमारी देखभाल की । उन्होंने मुख्यप्रधान जैसा कुछ रखा ही नहीं । और हमारे बीच आकर बैठे । हमारे सुख-दुःख में भाग ले वो ही हमारा राजा कहा जाय, वो ही हमारा प्रधान कहा जाय, वो ही हमारा दोस्त कहा जाय ।''

7. पढ़े-खेले गुजरात

"अरे, अरे मोहनभाई ये कोमल फूल जैसे बच्चे को ऐसे पशु की तरह क्यों मारते हो ? आपको शर्म नहीं आती ऐसे निर्दोष और युवान को मारते-पिटते हुए ?" मोहनभाई उनके पुत्र को मारते-पिटते थे तब बीच में पड़कर मगनभाई मास्टर ने छुड़ाते हुए कहा ।

"मारुं-पीटु नहीं तो क्या उसकी पूजा करुँ ? ये खेत में इतना काम पड़ा है । पशु खेत में बिगाड़ करते हैं । मैं कह कहकर थक गया फिर भी खेत में जाने का नाम ही नहीं लेता ।" मोहनभाई ने अपना आक्रोश मगनभाई के सामने निकाला ।

"जायेगा, इसको जब ऐसा होगा कि अब मुझे खेत में जाना है तब जायेगा । किन्तु ऐसे लड़के को मारो-पीटो नहीं ।" मगनभाई ने सलाह देते हुए कहा ।

"मगनभाई आप बीच में न आये होते तो आज मैं उसको अच्छ पाठ पढ़ाता । जब भी मैं कोई काम सौंपता हूँ तो बस ऐसा ही कहता है कि मुझे पढ़ना है, बस दूसरी कोई बात नहीं । तेरी किताबों में अग्नि दें । किताबें भी न जाने कितनी इकट्ठी की हैं ।" मोहनभाई का क्रोध अभी भी शांत नहीं हुआ था ।

"वो किताबें पढ़ता है उसमें गलत क्या है मोहनभाई, भले पढ़ता । किताबें पढ़ने से उसका ज्ञान बढ़ेगा ।" मगनभाई ने बिना माँगी सलाह दी ।

"क्या धूल ज्ञान बढ़ेगा ?" मोहनभाई ने अब भी और गुस्सा निकालते हुए कहा ।

"क्या मोहनभाई आप भी फोगट का गुस्सा करते हो ?" मगनभाई ने मोहनभाई को शांत करते हुए कहा ।

"गुस्सा न करुं तो क्या करुं मगनभाई । जब से ये नरेन्द्रभाई गांधीनगर में बैठे-बैठे कहते है कि पढ़ो-पढ़ो । इसलिए ये लड़का

नरेन्द्रभाई की बात को लेकर खेत में काम करने नहीं जाता । लेकिन ये लड़के को थोड़ी पता है कि काम नहीं करेंगे तो शाम को खाऐंगे क्या ? वो गांधीनगर में बैठे नरेन्द्रभाई आकर थोड़े ही खाना दे जायेंगे ?" मोहनभाई ने अपने मन का आक्रोश निकाला ।

अभी मगनभाई कुछ बोलने जाए इसके पहले तो गाँव के दूसरे पादर से वशरामभाई आकर खड़े रहे और उन्होंने कहा :

"हाँ, हाँ, बात सही है आपकी मोहनभाई । ये नरेन्द्र मोदी हैं न उन्होंने गाँव के लड़कों को गलत पटरी पे चढ़ा दिये हैं । बच्चें मजदूरी करके अपने माँ-बाप को थोड़ी मदद करते थे वो भी बंद हो गया और माँ-बाप को इस उम्र में मजदूरी करने की बारी आई । नरेन्द्रभाई को क्या? उनको थोड़ा पता है कि पढ़ने का कहने से लड़कों पर क्या असर पड़ेगी ? उन्होंने तो कह दिया : पढ़ो-पढ़ो । किन्तु लड़कों के माँ-बाप का क्या हाल होगा ! ये मेरा लड़का सुबह में उठा नहीं कि हाथ में पुस्तक लिया नहीं । बस पुस्तक, पुस्तक, पुस्तक ।" वशरामभाई ने भी अपनी वेदना मगनभाई मास्टर के सामने निकाली ।

"लो सुनो, मगनभाई । मेरे अकेले की ये दशा नहीं है । गाँव-गाँव के लड़के माँ-बाप का कहा नहीं मानते । फिर माँ-बाप अपने संतानों को मारे नहीं तो क्या करें ?" मोहनभाई ने सनसना सवाल किया ।

''भाई नरेन्द्र मोदी ने पढ़ने को कहा इसमें क्या गलत किया ये मुझे कहोगे ?'' मगनभाई मास्टर ने नम्रता से प्रश्न किया ।

''लो बोले बड़े क्या गलत किया ? मैंने कहा वो सुना नहीं, शाम को पकाने का क्या ? किताब लेके बैठे रहेंगे तो खायेगा क्या ? वो भूखा मरेगा और माँ-बाप को भी भूखे मारेंगे ।'' मोहनभाई ने कहा ।

इतने में फिर वशरामभाई बोले :

''पढ़ने का तो ठीक पर अब तो बच्चों वो रमत, मैं तो नाम ही भूल गया, वो टी.वी. में आती है न किटकेट, इसके पीछे पड़ गये हैं । ये वो जेसंगभाई का लड़का सुबह-सुबह में सब लोग दातून करते हैं तब आकर मोहल्ले के सभी बच्चों को गाँव के पादर में वो बावली में ले जाके तीन सोटे खड़े करके सबको खेलने ले जाता है । रोज उसकी माँ को कपड़े धोने के लिए धोका चाहिए तब पता चले कि उसका लड़का धोका लेकर बावली में किटकेट खेलने गया है । गांधीनगर में बैठे हुए नरेन्द्रभाई को क्या कहना ? उनको वहाँ बैठे-बैठे थोड़ा पता चलता है कि गाँव में कैसी-कैसी मुश्किलें होती हैं ।''

''वशरामभाई और मोहनभाई ऐसा नहीं । ये तो बहुत अच्छी बात है अभी आपको पता नहीं होगा । किन्तु दश-पंद्रह साल बाद आपको लगेगा कि नरेन्द्रभाई की बात सही है ।'' मगनभाई मास्टर ने ठंडे दिमाग से उत्तर दिया ।

"बस-बस मगन मास्टर । वहाँ बैठे-बैठे वो नरेन्द्रभाई कहे और आप जैसा यहाँ लड़कों को पूंछ पकड़ा दे इसलिए हो गया । फिर लड़के कुछ माने ? मूल तो बंदर है ही और आप जैसे सिढ़ी दे फिर तो क्या कहना ।" मोहनभाई ने मुँह बिगाड़ते हुए कहा ।

"मेरी बात समझो मोहनभाई, अभी आप ध्यान में नहीं लोगे तो ये बात आपको बहुत ही चुभेगी । नरेन्द्रभाई सही कहते हैं उसको आप क्यों मानने को तैयार नहीं हो ।" मगन मास्टर ने धीरे से कहा ।

"मगनभाई, मगनभाई अब बहुत हो गया । ये लड़कों की उपस्थिति में ऐसा न कहना, वरना ज्यादा बिगड़ जायेंगे । और कुछ भी काम नहीं करेंगे । इसलिए आपकी सलाह देने का बंद करो ।" मगनभाई की सलाह का मज़ाक उड़ाते हुए मोहनभाई ने कहा ।

"अरे मोहनभाई ऐसे गुस्से न हो । आओ मेरे घर आओ । आपकी चाय बहुत पी आज मेरे घर की चाय पीओ, आओ । शांति से बात करते हैं ।" ऐसा कहकर मोहनभाई और वशरामभाई को मगन मास्टर अपने घर ले गये ।

"नहीं आपकी चाय-बाय नहीं पीनी है । चाय पिलाकर फिर आप हमको बोतल में उतार दोगे । नहीं पीनी आपकी चाय ।" मोहनभाई और वशरामभाई ने मगन मास्टर के आमंत्रण को ठुकराते हुए कहा ।

"अरे भाई आपको मेरी बात गले उतरे तो मानो न उतरे तो न मानो, बस । किन्तु आज मेरे घर की चाय तो पीओ ।" ऐसा कहकर मगन मास्टर दोनों को अपने घर ले गये ।

"देखो मास्टर आपके घर की चाय पीते हैं लेकिन ये लड़कों को सिढ़ी मत देना भाई साहब ।" मगनभाई ने ठंडे होते हुए शांत आवाज़ से कहा ।

"देखो मोहनभाई, कल आप ने क्यों वे गिलके की लताको पेड़ पर चढ़ाने के लिए नीचे लकड़ी रखी थी और आसपास कांटे रखे थे ? इसका मुझे उत्तर दो ।" मगन मास्टर ने पढ़ाते हो इस तरह शुरुआत की।

"लो मास्टर आपको इतना भी पता नहीं कि बेला पेड़ पर चढ़े और जल्द बड़ा हो जाय और गिलके दे इसलिए लकड़ी रखी थी । और पशु खा न जाय इसलिए आड़ (बांडोला) किया । इसमें ये लड़के और

बाडोले का क्या लेना-देना ? लड़कों को पढ़ाते हो इस प्रकार माथाफोड़ करते हो ?" मोहनभाई ने सामने से सवाल किया ।

"लेना-देना है मोहनभाई, लेना-देना है । ये आपको अभी पता नहीं चलेगा । देखो, मेरी बात ध्यान से सुनो । देखो ये गिलकी को बाडोला न किया होता तो भेड़-बकरियाँ खा जाती कि नहीं खा जाती ? उसको पनपने देता ?" मगन मास्टर ने कहा ।

"खा ही जाते । ये कोई कहने की बात है !" मोहनभाई ने उत्तर दिया ।

"बस तो ऐसी ही बात है । ये लड़कों की उम्र खेलने की है तो आप खेलने नहीं देते । लड़के अभी खेलेंगे तो उनका शरीर मजबूत और खड़तल बनेगा । और शरीर मजबूत बनेगा तो ये बड़ा होकर दुश्मनों का सामना करेगा और देश का रक्षण करेगा । पर आप ही उनको भेड़-बकरियों की तरह इनके भविष्य खा जाते हो, उसके भावी को धुंधला बना देते हो । इसलिए उनका विकास कैसे हो सकता है ?" मगन मास्टर ने मोहनभाई और वशरामभाई से सनसना सवाल किया ।

मोहनभाई और वशरामभाई सिर हिलाते रहे लेकिन कोई उत्तर न दिया। इसलिए मगन मास्टर ने आगे चलाया :

''देखो आपके बच्चें पढ़ेंगे तो आगे बढ़ेंगे और नौकरी करेंगे । अच्छा कमायेगा तो घर आगे आयेगा । जो मेरे माँ-बाप ने ऐसा आपकी तरह सोचा होता तो मैं शिक्षक बना होता, आप ही कहो ? मैं भी दूसरे लड़कों की तरह मजदूरी ही करता होता । आप की तरह पूरा देश सोचेगा तो हम मजदूर ही पैदा करेंगे । कोई डॉक्टर, ईजनेर, वकील, शिक्षक या अफ्सर पैदा नहीं कर सकेंगे । और ये सब कब शक्य होगा, जो लड़को में पढ़ने की आदत पड़ेगी, अच्छे संस्कारों का सिंचन होगा तब ही डॉक्टर, ईजनेर, वकील, शिक्षक या अफ्सर बनेगा । ये बात हमारे नरेन्द्रभाई कहते हैं - इसमें गलत क्या है मुझे बताओगे ?'' मगन मास्टर ने बात गले उतारते हुए कहा ।

''देख मोहन मैं तुझे नहीं कहता था कि मगन मास्टर के यहाँ चाय पीने नहीं जाना है, नहीं तो बोतल में उतारेंगे । ले चल अब भी चलते हैं, वरना ये मास्टर भी नरेन्द्रभाई जैसा ही है ।'' वशरामभाई ने खड़े होते हुए कहा ।

''अरे मास्टर की बात सुन तो सही । अमल करना, न करना हमारे हाथ की बात है न ! इतना उतावला क्यों होता है ?'' मोहनभाई ने हाथ खींचकर वशरामभाई को बिठाते हुए कहा ।

''हां, वे गिलकी को पेड़ पर चढ़ाने को-इसका विकास करने को आपने सांठी (लकड़ी) रखी और सरल रास्ता कर दिया कि जिससे कोई बाधा न आये, जल्द बड़ा हो जाय, विकसे और गिलके दें । इस प्रकार हमारे बच्चों के विकास में अवरोध खड़ा नहीं करना चाहिए । उनका भी रास्ता सरल कर देना चाहिए । उनको भी रमत और पढ़ने की सुविधा कर देनी चाहिए, जिससे उनका जल्दी से विकास हो, उनका विकास रुके नहीं और परिणाम अच्छा मिले । जो आपने सांठियां न रखी होती और बाडोला न किया होता और गिलकी की मावजत न की होती तो गिलकी बड़ी न होती और आपको गिलकें खाने को न मिलते। इस प्रकार बच्चों को खेलने और पढ़ने नहीं दोगे तो वो भविष्य में अल्पविकसित बन जायेंगे और देश का तो क्या अपना भी रक्षण नहीं कर सकेंगे । पढ़ने से बुद्धि का विकास होता है जिससे त्वरित और परिपक्व निर्णय ले सके । और खेल खेलने से शरीर का विकास हो सके, जिससे शरीर मजबूत बनता है, जिससे दुश्मनों को परास्त कर देश का रक्षण करता है । जो हमारे बच्चें शारीरिक और मानसिक दृष्टि से तंदुरस्त होंगे तो हमारा

और देश का भविष्य उज्जवल बनेगा । हमारा देश भी मजबूत बनेगा ।'' मगन मास्टर ने शिक्षक की थियरी अपनाते हुए कहा ।

''मगन मास्टर, बात तो आपकी सही है किन्तु हमारे जैसे गरीबों को तो दिन को न कमाएँ तो शाम को खाना क्या ? इसलिए बच्चों को मजदूरी करानी ही पड़ती है न ?'' मोहनभाई ने सवाल किया ।

''देखो मोहनभाई हम तो अपने बच्चों के भावी के लिए सोचते ही नहीं पर हमारे नरेन्द्रभाई गांधीनगर में बैठे-बैठे ये सब सोचते हैं । अपने बच्चों को पढ़ते-लिखते करो, अपने बच्चों को खेलाकर-कसरतें कराके मजबूत बनाओ । अभी ये सब किया होगा तो भविष्य में दस साल बाद काम आयेगा । अभी बोओगे तो ही आप पा सकोगे । किन्तु आपने बोया ही नहीं होगा तो । जो आप आम बोओगे तो आम खाओगे और बबूल बोओगे तो काँटे । आपको क्या करना है ये आपको सोचना है । हमारे नरेन्द्रभाई गांधीनगर में बैठे-बैठे इतना सोचते हैं लेकिन आप उनको साथ सहकार नहीं दोगे तो अकेले हाथ से ताली थोड़ी बजेगी ? ताली बजाने के लिए तो दो हाथ चाहिए कि नहीं ?'' मगन मास्टर ने मोहनभाई के मस्तिष्क में बात ठसाने का प्रयत्न किया ।

''हा भाई, ताली बज़ाने को तो दो हाथ चाहिए किन्तु हमें शाम को खाना चाहिए कि नहीं ? बच्चों का पेट नहीं भरेगा तो भूखे पेट थोड़ी कसरत करेगा या पढ़ेगा ? इसका विचार ये नरेन्द्रभाई करते हैं ये मुझे कहो, फिर आप सलाह दो मगनभाई ?'' मोहनभाई ने फिर से यही प्रश्न किया ।

''देखो इसका भी उपाय नरेन्द्रभाई ने ढूँढ़ लिया है । अभी गरीब कल्याण मेला किया । उसमें गाँव-गाँव से गरीबों को एकत्रित किये और सहाय दी और लोगों को धंधा रोजगार करते हुए किया है । आप गाँव के पंचायत ऑफिस जाकर सहाय का फॉर्म भर के तलाटी को दे दो । आपको भी सहाय मिलेगी और आप भी धंधा रोजगार करते हो जाएँगे । आपको और आपके कोमल बच्चों को मजदूरी नहीं करनी पड़ेगी । आप धंधा करोगे तो आपका घर ऊँचा आयेगा । किन्तु आपको तो खेत की काली मजदूरी करने में से फुरसत नहीं और पंचायत घर में नहीं जाते । तो सरकारी योज ना का लाभ कहाँ से मिले ? आपको फॉर्म भरना पड़े कि नहीं ? और बाद में हो-हा करते हो कि, ये सरकार ये नहीं करती, वो नहीं करती, रुपये का धूआं करती है ?'' मगन मास्टर ने सरकारी योजना समझाते हुए कहा ।

''हे.... तलाटी के पास जाकर फॉर्म भरने से सहाय मिलेगी ? लो ये तो मैंने नया सुना !'' मोहनभाई ने आश्चर्य व्यक्त करते हुए कहा ।

''अरे जाने दो ये तलाटी की बात । मैं फॉर्म भरने गया था । फॉर्म भी भरा लेकिन सहाय मंजूर ना हुई । तलाटी ने कहा कि पाँच सौ रुपये दो तो सही (दस्तखत) करुं वरना नहीं । मैंने पाँचसौ रुपये न दिये इसलिए मुझे सहाय न मिली । इनसे तो पुराना तलाटी अच्छा था, बिना रुपये काम करता था ।'' वशरामभाई ने कहा ।

''किन्तु आपने इस बात को नरेन्द्रभाई को बताया कि हमारे गाँव का तलाटी पाँच सौ रुपये माँगते हैं ! आप बताओगे नहीं तो नरेन्द्रभाई को कैसे पता चलेगा ? नरेन्द्रभाई ने तो स्पष्ट कहा है कि मुझे पोस्टकार्ड लिख देना । आप एक पोस्टकार्ड लिखने की तस्दी नहीं लेते और उनको बताओगे नहीं और फिर उनके सिर पर दोष डालते हो ? आप को उनको बताना ही पड़ेगा कि हमारे गाँव का तलाटी रुपये खाये बिना काम नहीं करता ।'' मगन मास्टर ने वशरामभाई को समझाते हुए कहा ।

''नहीं, भाई नहीं । मैंने पोस्टकार्ड तो नहीं लिखा है । मास्टर आपकी बात सोलह अन्नी सही है । किन्तु मुझे ऐसा हुआ कि पोस्टकार्ड लिखूँगा

तो बेचारे तलाटी की नौकरी जोखिम में आ जायेगी और उनके बच्चें और पत्नी बेहाल हो जाएँगे इसलिए नहीं लिखा ।'' वशरामभाई ने तलाटी के लिए दया बताते हुए कहा ।

''बस यही तो हमारे गाँव के लोगों की तकलीफ है । ये जो आपके बच्चों के पेट से निकालकर पाँच सौ रुपये माँगता हो तो आपको उस पर क्यों दया रखने की जरूरत है ? आपके बच्चों के हक पर वो तराप मारता हो तो आपको उसके बच्चों के लिए क्या सोचने का ? आप ही ऐसे लोगों को बचाते हो । इसलिए ऐसे लोग आपके सिर पर चढ़कर बैठते हैं । और आपको ही नुकसान करते हैं, आपको ही आगे नहीं आने देते-आपका विकास नहीं होने देते । किन्तु जाने दो ये सब बात । जो हो गया सो हो गया । अब जब से जगे तब से सुबह । ये बच्चों के उज्ज्वल भविष्य के लिए उनको पढ़ने दो और खेलने दो ।'' मगन मास्टर ने बात काटकर सलाह देते हुए कहा ।

''किन्तु ये पढ़-पढ़कर और खेल-खेलकर क्या करेंगे ?'' मोहनभाई ने नम्रता से कहा ।

''आपको कहा तो सही कि ये नयी पीढ़ी पढ़ेगी, यानी कि पढ़ेंगे तो बड़े-बड़े अफ्सर बनेंगे और देश विकास करेगा और खेलेंगे तो शरीर मजबूत बनेगा । इसलिए दुश्मनों का सामना करके देश को बचायेंगे । इसलिए उनको पढ़ने-खेलने दो ।'' मगन मास्टर ने पुनः समझाते हुए कहा ।

''मगनभाई चलो आपकी बात मानकर खेलने और पढ़ने दें लेकिन हमारा क्या ? ये बुढ़ापे में हमको तो मजदूरी ही करने की न ?'' मोहनभाई ने फिर से वही का वही सवाल किया ।

''देखो मोहनभाई फिर से आपको कहता हूँ कि थोड़े वर्षों (साल) बाद यही बच्चें पढ़-लिखकर कैसी बड़ी-बड़ी जगहों पर नौकरी करते होंगे ये जीते रहेंगे तो मुझे कहना ।'' मगन मास्टर ने लम्बा सोचकर उत्तर दिया और आगे कहा :

''ये हमारे मुख्यमंत्री, दो सौ किलोमीटर दूर बैठे-बैठे हमारे बच्चों के भावी के बारे में सोचते हैं और आप लोग बच्चों के माता-पिता होने के बावजूद भी अपने बच्चों का सोचते नहीं । नरेन्द्रभाई तो हमारे भगवान हैं, भगवान वरना वो क्यों हमारे बच्चों के बारे में सोचें ? इसलिए हम सब को उनको साथ-सहकार देना चाहिए, और उनकी ऐसी सोच को सर

आँखो पर चढ़ाकर मान लेनी चाहिए । आज तक कितने ही मंत्री और अधिकारी हो गये किसी ने आपके बच्चों के बारे में सोचा है ?” मगन मास्टर ने प्रश्न के साथ सलाह देते हुए कहा ।

“हाँ, हाँ मगन भै आपकी बात सौ टच के सोने जैसी है । आज से मैं अपने गगे को वो ओरडी में पढ़ने भेजूँगा और उनका भावी सुधारुँगा ।” मोहनभाई ने नम्र होते हुए उत्तर दिया ।

“ओरड़ी नहीं पुस्तकालय कहो पुस्तकालय ।” मगन मास्टर ने सुधारते हुए कहा ।

“हाँ, हाँ ये लायमेली में पढ़ने भेजूँगा बस ।” मोहनभाई और मगनभाई दोनों एक साथ बोल उठे ।

“लायमेली नहीं लायब्रेरी कहो लायब्रेरी ।” मगन मास्टर ने लायमेली शब्द सुनकर खड़खड़ाट हंसते-हंसते सुधार करते हुए कहा ।

“हाँ, हाँ ये पुस्तकों वाली ओरड़ी, लायब्रेरी में ही भेजूँगा, बस ।” मोहनभाई ने कहा ।

थोड़ी देर बाद मोहनभाई और वशरामभाई दोनों मगन मास्टर के यहाँ से उठकर घर के रास्ते जाते वक्त बातें करते-करते कहने लगे :

“नरेन्द्रभाई और मगन मास्टर की बात सही है । ये नरेन्द्रभाई बैठे-बैठे हमारे बच्चों का ध्यान रखते हैं ये तो मुख्यप्रधान नहीं पर हमारा दोस्त है दोस्त । किन्तु वशराम ये बात का हमें इतने दिनों से क्यों पता नहीं चला ?”

इतने में मोहनभाई और वशरामभाई के बच्चे लुपाते-छुपाते एक हाथ में किताब और एक हाथ में लकड़ियों से बने क्रिकेट के स्टम्प और बॅट के लिए कपड़े धोने का धोका लेकर गाँव की बावली (झाड़ी) की ओर जाते हैं, किन्तु मोहनभाई और वशरामभाई को देखकर छुपाने का प्रयत्न करते हैं तब तो मोहनभाई और वशरामभाई दोनों एक साथ जोर से बोल उठते हैं :

“सुनो, बच्चों आज से तुम लायब्रेरी में पढ़ने जाओ और किटकेट खेलने भी जाओ । और जो कोई खेलने का ना कहे तो मेरा नाम देना । मैं उनको मण का छ: शेर का न कर दूं तो मेरा नाम मोहन नहीं । ये हमारा दोस्त हमारे बच्चों के लिए इतना करते हैं और हम बच्चों को खेलने न जाने दें ? जाओ तुम पढ़ो-खेलो- कूदो और मज़ा करो ।”

और बच्चे हा... हो.... करते हुए गाँव के पादर में आयी हुई बावली (झाड़ी) की ओर क्रिकेट खेलने को दौड़कर चले गये ।

८. निराधार का आधार

''चलो भाई चलो, बाजु पर हटो । थोड़ी ही क्षणों में मुख्यमंत्रीश्री आ रहे हैं, चलो खिसो ।'' ऐसा कहते-कहते पुलिस की फौज लोगों को बाजु पर हटा रही है ।

थोड़ी देर बाद एक टुकडी बंदूक और तमंचे के साथ आती है । और मुख्यमंत्रीश्री का रास्ता साफ करवाती है ।

इतने में काले कपड़े और बंदूकधारी कमान्डो के बीच मुख्यमंत्रीश्री आ रहे हैं और मंच पर आकर सभी को नमस्कार करके बिराजमान होते हैं ।

एक वामन कद की और अपाहिज स्त्री मंच पर चढ़ने का प्रयत्न करती है, तब सिक्युरिटी वाले उनको मंच पर जाने नहीं देते और इनको पकड़ कर वापिस भेज देते हैं ।

ये वामन और अपाहिज स्त्री थोड़ी देर बाद मुख्यमंत्रीश्री को मिलने का पुन: प्रयत्न करती है फिर भी सलामती स्टाफ उनको जाने नहीं देते और वापिस भेज देते हैं । जब तीसरी बार ये स्त्री प्रयत्न करती है तो सलामती महिला पुलिस की मदद लेकर पकड़कर सभामंडप के बाहर ले जाते हैं ।

ये दृश्य एक पत्रकार देखता है । जिससे महिला पुलिस के पास जाता है और क्या बात है इसका पता लगाने का प्रयत्न करता है ।

महिला पुलिस कुछ बता सकती नहीं, किन्तु इतना ही कहती है कि ये स्त्री मनाई करने के बाद बार-बार मंच पर मुख्यमंत्रीश्री को मिलने जाने का प्रयत्न करती थी, इसलिए इनको बाहर भेज दिया जाता है ।

सभामंडप के बाहर भेज दी गई वामन कद की और अपाहिज स्त्री को पत्रकार मिलता है और पूछता है कि :

''बहन आपको मुख्यमंत्रीश्री को मिलने को किस लिए जाना है ?

कार्यक्रम के दौरान मुख्यमंत्रीश्री आपको नहीं मिल सकते, फिर भी जिद क्यों करती हो ? और पुलिस आपको ऊँचा करके बाहर क्यों ले गई ?"

"क्या पता ! लेकिन ये लोग मुझे मुख्यमंत्रीश्री को मिलने नहीं जाने देते ।" वामन स्त्री ने पत्रकार को कहा ।

मुझे बहुत ही आवश्यक काम है इसलिए मुझे मुख्यमंत्री को मिलना है ।" स्त्री ने कहा ।

"ऐसा तो क्या काम है कि आपको मुख्यमंत्रीश्री को मिलना पड़े ? आपको मुख्यमंत्रीश्री को आपकी मुसीबत कहनी है तो मुझे बताओ । मैं मुख्यमंत्रीश्री को आपकी मुसीबत बता दूँ तो ?" पत्रकार ने सवाल किया ।

"मैं बहुत ही मुश्किल में हूँ इसलिए मुझे मुख्यमंत्रीश्री को मिलना जरुरी है ।" स्त्री ने कहा ।

"किन्तु आपको ऐसी कैसी मुसीबत है कि इतनी सलामती के बीच जाना पड़े ?" पत्रकार ने जानने की इच्छा बताते हुए सवाल किया ।

"मेरे जीवन मृत्यु का सवाल है इसलिए मुझे मुख्यमंत्रीश्री को मिलना जरूरी है ।" ऐसा कहकर फिर मुख्यमंत्रीश्री को मिलने वो स्त्री दौड़ गई ।

फिर से पुलिस ने रोका और वापस भेजा ।

''किन्तु बहन आप नाहक पुलिस को हैरान करेगी तो पुलिस आपको लोकअप में बंद कर देगी । आपको क्या काम है वो मुझे कहो ।'' पत्रकार ने कहा ।

''आपको बताने से क्या फायदा ? आप मेरी मुसीबत थोड़ी दूर करोगे ?'' स्त्री ने गुस्से होते हुए प्रश्न किया ।

''बहन आपकी मुसीबत दूर करने का मैं प्रयत्न करूंगा । आप अपनी मुसीबत बताओ ।'' ऐसा कहकर पत्रकार ने स्त्री का प्रश्न लिखने को कापी और पेन हाथ में लिया ।

''मुझे आपको कुछ कहना नहीं है मैं तो मुख्यमंत्रीश्री के समक्ष मेरी बात करुंगी । आपको कहने से थोड़े ही मेरा दुःख दूर होने वाला है ?'' स्त्री ने उग्रता में आकर उत्तर दिया ।

''ऐसे थोड़े ही मुख्यमंत्रीश्री आपको मिलने वाले हैं ? उनको मिलने के लिए आपको कार्यालय में लिखकर देना होगा और मुख्यमंत्रीश्री को लगे कि आपको समय देने जैसा है तो ही आपको मिलने की मंजूरी देंगे ।'' पत्रकार ने सरकारी कार्यपद्धति समझाते हुए कहा ।

''अरे मैं तो कचहरियों में लिख-लिखकर और कह-कहकर थक गई, किन्तु कोई सुनता ही नहीं । गलत आश्वासन देकर निकाल देते हैं । लेकिन कोई मेरा काम करता ही नहीं । इसलिए मुझे मुख्यमंत्रीश्री को ही मिलना है ।''

''किन्तु मुख्यमंत्रीश्री को मिलना इतना आसान नहीं है । और यहाँ मंच पर तो मिल ही नहीं सकते । आपको जो भी कहना है ये मुझे कहो । मैं आपकी बात अखबार के माध्यम से जरूर पहुँचाऊँगा ।'' पत्रकार ने कहा ।

''आप क्या पहुँचाओगे मेरी बात । मैंने कहा कि मैं सबको मिलकर, धक्के खाकर थक

गई हूँ । 'तुम्हारा काम हो जायेगा' ऐसा आश्वासन देकर निकाल देते हैं । किसी भी कर्मचारी या अधिकारी को मुझ पर दया नहीं आती और काम नहीं करते । आप भी मुझे आश्वासन देकर निकाल दोगे न ? इसलिए मुझे आपको मेरी बात नहीं कहनी है । मैं मुख्यमंत्रीश्री को मिलकर रजूआत करुँगी ।'' स्त्री ने मुख्यमंत्रीश्री को मिलने की जिद करते हुए कहा ।

''बहन आप जिद न करो । मैं आपकी बात मुख्यमंत्रीश्री तक पहुँचाऊँगा । फिर मुख्यमंत्रीश्री को क्या करना है ये उनको निर्णय लेने का है । किन्तु जो आपकी माँग और रजूआत योग्य और वाजबी होगी तो मुख्यमंत्रीश्री अवश्य आपका काम करेंगे ।'' पत्रकार ने स्त्री को समझाने का प्रयत्न करते हुए कहा, और आगे कहा :

''बहन मुख्यमंत्रीश्री का उद्बोधन शुरू हो गया है और जो तुम बीच में विघ्न खड़ा करोगी तो पुलिस वाले पकड़ कर कैद कर देंगे और आप संकट में पड़ जाओगी, इसके बदले मैंने कहा ऐसे आप आपकी मुसीबत मुझे कहोगी तो मैं अखबार में छाप दूंगा और आपकी बात मुख्यमंत्रीश्री तक पहुँचा दूंगा । शायद आपकी मुसीबत दूर हो भी सके ।''

इतना कहते ही वो अपाहिज और वामन कद की स्त्री फूट-फूट कर रोने लगी और कहा :

''मैं अपाहिज हूँ । मेरी उम्र साठ साल है । मैं अकेली हूँ । मैंने शादी नहीं की इसलिए मुझे कोई संतान नहीं है, जिससे कोई मुझे ये बुढ़ापे की उम्र में पालन-पोषण कर सके और मेरी सेवा करे । उम्र के कारण मुझसे अब कोई काम नहीं हो सकता । मैं विधवा या त्यक्ता भी नहीं हूँ । जिससे मुझे विधवा पेन्शन मिल सके । इसलिए मुझे पिछली जिंदगी में जीने के लिए कुछ मिले इसलिए मुझे मुख्यमंत्रीश्री को मिलना है लेकिन ये सलामती वाले मुझे जाने नहीं देते ।''

''बहन मैं आपकी बात अखबार के जरिये मुख्यमंत्रीश्री को पहुँचाऊँगा और आपको बुढ़ापे में मेहनत न करनी पड़े और कोई लाभ मिले ऐसा प्रयत्न अवश्य करुंगा ।'' पत्रकार ने मानवता से सांत्वना देते हुए कहा ।

''बुढ़ापे में मुझसे काम नहीं होता फिर भी लोगों के घर काम करती थी पर अब मुझ से नहीं होता है इसलिए लोग घर काम छुड़वा देते हैं । अब मुझे भूखे मरने का दिन आया है । आप मेरी इतनी बात

मुख्यमंत्रीश्री को पहुँचाओ और मुझे राहत हो ऐसा करो तो अच्छा है । वरना मुझे जीते जी मरने की बारी आयी है ।'' ऐसी बिनती करते-करते स्त्री, पत्रकार को दो हाथ जोडकर ज्यादा रोने लगी ।

''चिंता मत करो बहन । जरूर आपको मदद मिले ऐसा ही करूंगा । भगवान पर भरोसा रखो और स्वस्थ हो जाओ, लो ये पानी पीओ और लिखना आता हो तो तुम्हारी बात लिखकर दो । आपके हाथ से लिखा हुआ मैं अखबार में छापकर मुख्यमंत्रीश्री तक पहुँचाऊँगा ।'' पत्रकार ने पानी का प्याला देते हुए कहा ।

''आप मेरा इतना काम करोगे तो आप मेरे भगवान हो ।'' पानी पीते-पीते स्त्री ने कहा ।

''बहन चिंता मत करो । सब अच्छा होगा । आप अब शांति से अपने घर जाओ ।'' आश्वासन देते हुए पत्रकार ने स्त्री को कहा ।

बहन रोते-रोते अपने घर की ओर जाने निकली ।

इस तरफ मुख्यमंत्रीश्री का कार्यक्रम पूर्ण होते ही मुख्यमंत्रीश्री भी बिदा हुए ।

दूसरे दिन अखबार में आया कि, ''एक वामन कद की और अपाहिज बहन मुख्यमंत्रीश्री को मिलने को आतुर, किन्तु सलामती वालों ने उसको पकड़कर सभामंडप से बाहर भेज दिया ।'' और इसके साथ वो स्त्री ने अपने हाथ से लिखी चिट्ठी अखबार में छाप दी ।

माननीय मुख्यमंत्रीश्री ने ये बात ध्यान से पढ़ी और तुरन्त ही कलेक्टरश्री को हुक्म किया और उनकी तमाम माहिती देने को कहा ।

दूसरे दिन डिप्टी कलेक्टरश्री वो वामन कद और अपाहिज स्त्री के घर पहुँच गये और छोटी से छोटी बात लेकर माननीय मुख्यमंत्रीश्री के सामने पेश की ।

माहिती मिलते ही माननीय मुख्यमंत्रीश्री ने हुक्म किया और माह के एक हजार रुपये का पेन्शन स्त्री को बाँध दिया ।

वामन कद की और अपाहिज स्त्री ने अब मजदूरी न होने से लोगों के घर काम करना भी छोड़ दिया था । इसलिए कई स्त्रियों को ऐसा होता था कि, वे क्या करती है ? कैसे जीती है ? क्या पीती है ? ये जानने के लिए उनके घर आती है और स्त्री को पूछती है :

''क्यों बहन अब आप काम पे नहीं आती ?''

''कैसे आऊँ बहन । अब मुझसे काम नहीं होता है । मैं चल भी नहीं सकती । अब कैसे आऊँ ।'' स्त्री ने कहा ।

''काम धंधा नहीं करोगी तो खाओगी क्या ? ये बुढ़ापे और गरीबी में आपको कौन मदद करेगा ?'' आयी हुई स्त्रियों ने कहा ।

''बहन गांधीनगर में मेरा भाई है वो हर माह पैसे भेजता है और मैं खाती हूँ । और मेरे दिन काटती हूँ ।'' स्त्री ने कहा ।

''आप तो ऐसा कहती थी कि, मुझे तो माँ-बाप, भाई-भाभी, चाचा-चाची, बच्चे कोई नहीं है । मैं तो अकेली हूँ । और अब कहती हो कि मेरा भाई रुपये भेजता है और खाती हूँ । तो आज दिन तक जूठ क्यों बोली ?'' आयी हुई स्त्रियों ने कहा ।

''बहन मैं कभी भी झूठ नहीं बोलती । मुझे तो कोई भाई ही नहीं । मुझ पर विश्वास करो ।'' स्त्री ने कहा ।

''तू तो झूठी है । आज तक कहती थी कि मेरा तो कोई नहीं है तो आज तेरा भाई कहाँ से आया ? आज तक कहाँ गया था ?'' आयी हुई सब स्त्रियाँ उन पर एक आवाज से टूट पड़ी ।

इतने में डाकिया आता है और आवाज़ लगाता है :

''शान्ताबाई ! ओ शान्ताबाई ! गांधीनगर से आपका मनीओर्डर है । लो दस्तखत करो और मनीओर्डर छुड़ाओ ।''

वामन कद की और अपाहिज शान्ताबाई हरखाती हरखाती आकर दस्तखत करती है और एक हजार रुपये छुड़ाती है ।

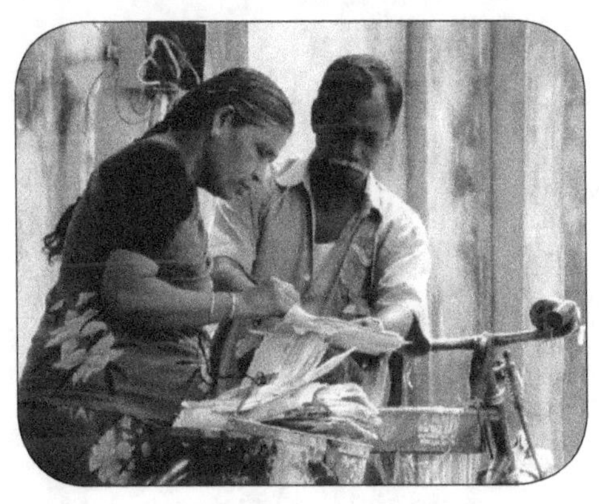

ये देखकर वो स्त्रियों आश्चर्य में पड़ जाती हैं और कहती है :

‘‘गांधीनगर से मनीऑर्डर आया है ? किसने भेजा ?’’

‘‘कहा न मेरा नरेन्द्रभाई है उन्होंने भेजा है ।’’ ऐसा कहकर रुपये गिनती है ।

‘‘नरेन्द्रभाई ! वो मुख्यमंत्री हैं ये नरेन्द्रभाई ! ये तुम्हारा भाई है !’’ आयी हुई स्त्रियों ने आश्चर्य के साथ कहा ।

‘‘हाँ हाँ, ये मेरा भाई है । मेरे अकेले का नहीं, मेरे जैसे हजारों गरीबों का – निराधार के भाई है, दीन-दुखियों का बेली है ।’’ और जयश्री कृष्ण कहकर हंसते मुँह से घर में चली गयी ।

9. वरदानरूप-108

अंतिम छोर के गाँवो में, जहाँ कोई वाहन ही ना मिले, दिन में गाँव से शहर में एक बार आने-जाने को सरकार ने बस की व्यवस्था की थी । किन्तु मुसाफिर नहीं मिलने से ये बस दो-तीन दिन में एक बार आती थी । एक नया डिपो मैनेजर आने से ''मुसाफिर नहीं मिलते और बस नुकसानी में चलती है'' ऐसा कहकर ये गाँव की बस बंद करवा दी । ऐसे अंतरवाले गाँव में गोकलचाचा का परिवार रहता था ।

गोकलचाचा के बेटे उदेसंग की बहू सजनबा की प्रसूति (सुवावड) के प्रसंग के समय दायन गंगली ने कहा कि, ''बच्चा उल्टा है । मैंने बहुत प्रयत्न किया लेकिन निष्फल ही रही हूँ । अब तो उनको शहर में बड़े अस्पताल ले जाओ तो अच्छ परिणाम आ सके, वरना माँ और बच्चे की जान खतरे में हैं ।''

दायन के ये शब्द सुनकर गोकलचाचा और उनका परिवार घबरा गया । गोकलचाचा का बेटा उदेसंग ने रोना शुरू कर दिया । गोकलचाचा और गंगली दायन उदेसंग को हाम-आश्वासन देते थे । गोकलचाचा गाँव लोगों को कहते थे कि, ''अरे कोई जाओ बैलगाड़ी जोत के लाओ तो उनको अस्पताल लेकर जाएँ ।'' और कोई कहता था कि, ''चारपाई तैयार करो और चार आदमी उठाकर शहर के अस्पताल ले जाओ ।''

कई लोग बैलगाड़ी ढूँढ़ने गाँव में निकले । किसी ने कहा कि, मेरे पास बैलगाड़ी है पर एक पहिया बराबर चलता नहीं है । दूसरा कहता है कि, मेरी बैलगाड़ी को धौंसरा नहीं है । किसी के पास बैलगाड़ी थी लेकिन बैल नहीं था । किसी के पास बैल लेने जाए तो बैल खेत में हल जुता है, ऐसा कहकर गोकलचाचा को धक्के चढ़ाते ।

तो किसी ने कहा कि अरे चारपाई तैयार किया होता तो अभी आधे रास्ते पहुँचे होते । तो दूसरा कहता कि ऐसे शहर यहाँ थोड़ा है ! यहाँ

से १५ किलोमीटर होता है और चारपाई लेकर जाते-जाते दम निकल जाय । अच्छ आदमी भी बिमार हो जाए । जाओ कोई रिक्शा लेकर आओ ।

एक को रिक्शा लेने को साईकिल लेकर दौड़ाया किन्तु ये साईकिल वाला कब शहर जाय और रिक्शा लेकर आये । सूर्य अस्त हो जाएगा तब भी वापस नहीं आयेगा । इसलिए साईकिल वाले को गोकलचाचा ने वापस बुला लिया ।

ये सब चर्चा और रोना चल रहा था तब ये दूर के गाँव में एक शहर का नवयुवक पैदल चलता-चलता गाँव में आया । उसने देखा कि यहाँ कुछ घटना हुई है । जिससे वे आतुरता से टोले के पास गया और पूछा :

"क्या हुआ है ? सब क्यों रोते हो ? और ऐसे घबराए हुए क्यों हो?"

"क्या करें भाई । ये हमारे उदा की बहू को प्रसूति का वक्त है किन्तु दायन ने कहा कि, बच्चा उल्टा है । कुछ भी करो लेकिन प्रसूति नहीं होती है । उसकी जान खतरे में है । उनको शहर की अस्पताल ले जाना है लेकिन यहाँ गाँव में कोई साधन नहीं है । पहले एक बस आती

थी वो भी डिपो मैनेजर ने बंद कर दी । क्या करें भाई ।'' गोकलचाचा ने रोते-रोते कहा ।

''इसमें घबराते हो किस लिए ? १०८ पर फोन करो, तुरन्त ही, दस मिनट में गाड़ी आ जायेगी ।'' आगंतुक ने शांति से कहा ।

''किन्तु भाई यहाँ गाँव में तो फोन ही नहीं है, कहाँ फोन करें ? शहर में से मोटर आए और वापस जाए तब तक के कितने रुपये होते ? हमारे पास तो कुछ नहीं है ।'' गोकलचाचा ने निराश होते हुए कहा ।

''खड़े रहो, चिंता मत करो । मैं फोन करता हूँ । १०८ गाड़ी आयेगी और आपको सीधे शहर के अस्पताल में ले जायेगी । किराये का एक रुपया भी नहीं लेगी । हमारी सरकार ने मुफ्त में व्यवस्था की है ।'' ऐसा कहकर आगंतुक ने अपना मोबाइल जेब से निकाला और १०८ पर फोन किया ।

फोन मिलते ही पंद्रह मिनट में १०८ गाड़ी गाँव में आ गई, और उदेसंग की बहू सजनबा को शहर के अस्पताल ले गई । आगंतुक के साथ पड़ोसी मनोरचाचा भी गाड़ी में बैठकर शहर में गये ।

एक ओर सजनबा की डॉक्टरों द्वारा सारवार चल रही थी तो दूसरी ओर गोकलचाचा, उदेसंग और मनोरचाचा आगंतुक के साथ बात-चीत कर रहे थे ।

''भाई, आपको कहाँ से पता चला कि गाड़ी मुफ्त सेवा करती है ?'' गोकलचाचा ने आगंतुक को सवाल किया ।

''गोकलचाचा हमारे मुख्यमंत्री नरेन्द्रभाई है न उन्होंने गुजरात की ६ करोड जनता के लिए १०८ गाड़ी की व्यवस्था की है । आप १०८ नम्बर लगाओ और पता लिखवा दो, गाड़ी दस मिनट में आपके घर आकर खड़ी रहेगी ।'' आगंतुक ने शांति से कहा ।

''किन्तु भै, ये १०८ शहर से आयी और इतना पेट्रोल गुमाया फिर भी किसी से एक रुपया भी वसूल नहीं करेगा ?'' गोकलचाचा ने अपनी समस्या आगंतुक समक्ष व्यक्त करते हुए कहा ।

''ना चाचा । ये गाड़ी की व्यवस्था तो लोगों की सेवा के लिए मुफ्त में सरकार ने की है ।'' आगंतुक ने संक्षिप्त में कहा ।

''न हो भले आदमी । ऐसे कोई मुफ्त में सेवा करता होगा ?

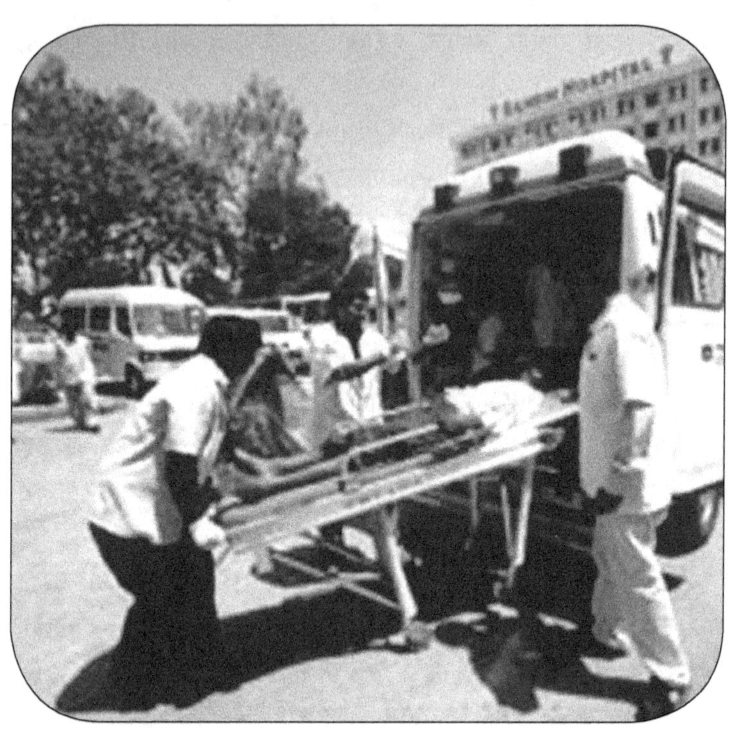

अभी तो मुफ्त में ले जाये फिर पीछे से किराये के लिए नोटिस भेजेगा । नहीं भरोगो तो कर या राजस्व कर में से वसूल करेगी ।'' साथ आये मनोरचाचा ने शंका व्यक्त करते हुए कहा ।

''आप किस आधार पर कहते हो मनोरचाचा कि पीछे से सरकार किराया वसूल करेगी ?'' आगंतुक ने भी शंका से सवाल किया ।

''भाई अभी दो महीने पहले हम हमारे एक सम्बन्धी के वहाँ अहमदाबाद गये थे । तो वहाँ सरकार ने वो बुलडोज़र से सबके घर थोड़े-थोड़े तोड़ दिये और पीछे से नोटिस दी थी । सभी से खर्च वसूल किया था । ऐसा हमारे संबंधी कहते थे ।'' मनोरचाचा ने कहा ।

''चाचा ये तो घर के आगे सरकारी जमीं पे पेश कदमी की होगी न इसलिए उसे तोड़ने की नोटिस दे दी । जो आप न तोड़ो तो सरकार आकर तोड़ जाये और इसका खर्च वसूल करें ।'' आगंतुक ने मनोरचाचा को समझाते हुए कहा ।

"तो यही हुआ न भाई । अभी सरकार मुफ्त-मुफ्त करके ले जायेगी और पीछे से लम्बा-लम्बा बिल निकालेगी ।" मनोरचाचा ने अभी भी शंका करते हुए कहा ।

"ऐसा नहीं है चाचा । गरीबों के पास पैसा न हो, लोगों को शाम के खाने की चिंता सताती हो तब वे अस्पताल जाने के लिए रिक्शा या मोटर के किराये का पैसा कहाँ से लायें ? ज्यादातर तो क्या होता है कि अकस्मात हुआ हो, दर्दी जीवन-मृत्यु के बीच झोले खाता हो, परिवारजनों के पास पैसे न हो, कोई खेत में काम करता हो और उसको सांप ने काटा हो, ये आपके सजनबा जैसे को प्रसूति आनी हो, ऐसे गरीबों के लिए ये गाड़ी वरदान रूप है । वे १०८ गाड़ी के जरिये सरकार लोगों की सेवा करती है । लोगों को मुफ्त में अस्पताल ले जाती है और वापस घर भी भेजती है । ऐसे लोगों की जान बचाकर सेवा का कार्य करती है ।" आगंतुक ने संक्षिप्त में समझाते हुए कहा ।

"किन्तु सरकार ये सब के लिए मुफ्त गाड़ी रखे तो पूरे राज्य में कितने लोग उसका उपयोग करें, तो उसका कितना खर्च हो । ये खर्च कौन भुगतेगा ?" गोकलचाचा को न समझ में आया इसलिए प्रश्न किया ।

"चाचा, मैंने कहा न । सरकार ने अकेले गरीबों के लिए ही नहीं, श्रीमंत लोग भी १०८ का उपयोग कर सकते हैं । मरीज गरीब हो या तवंगर ये नहीं देखती । उसको तो आप १०८ लगाओ कि तुरन्त ही आकर खड़ी रहे । आपके पास से एक रुपया भी न माँगे और अस्पताल ले जाय ।" आगंतुक ने गोकलचाचा को समझाने का प्रयत्न करते हुए कहा ।

"ये मालदार-श्रीमंत को क्या जरूरत है ? उनको कहाँ रुपये की खोट है तो फिर उनको सेवा देने की ? ये सरकार तो ऐसे ही लोगों को औंधा करेगी ?" मनोरचाचा ने आक्रोश निकालते कहा ।

"चाचा, सरकार के लिए सब समान है । दर्दी के पास पैसा है कि नहीं, ये नहीं देखने का । ये तो इतना ही देखती है कि बस दर्दी है न! दर्दी का जीवन बचाना ही उनका उद्देश्य है ।" आगंतुक ने १०८ की कामगीरी समझाते हुए कहा ।

"ये सालु मुझे तो यही नहीं समझ में आता कि, ऐसा शेखचल्ली का

तुक्का किसके भेजे में-मगज में पैदा हुआ होगा । ये हमारे गुजरात में छः करोड़ लोग हैं । ये सबको किसी न किसी दर्द तो होने का ही । तो सबको घर-घर लेने जाये और वो भी बिना पैसे । तो ये तो सालु दिवाला फूंकने का धंधा हुआ कि नहीं ?'' मनोरचाचा ने फिर से उश्केराट निकालते हुए कहा ।

''मनोरचाचा, हमारे मुख्यमंत्री नरेन्द्रभाई हैं न उन्होंने ये १०८ की सेवा की व्यवस्था की है । खास करके गरीब दर्दीओं के लिए सोचा कि गरीबों को एक वक्त पेट भरने के लाले होते हैं तब अस्पताल जाने का और दवाई लाने का उनके पास पैसे नहीं होते । इसलिए उन्होंने गरीबों की सेवा करने और गरीबों का अमूल्य जीवन पैसे की वजह से बिगड़ न जाये इसलिए ही ये १०८ गाड़ी रखी है । आप १०८ पर फोन करो कि तुरन्त ही लोगों की सेवा में गाड़ी आ जाती है और आपको अस्पताल ले जाती है ।'' आगंतुक ने समझाते हुए कहा ।

''भाई ये तो घड़े का कलश करने की बात है । मोदी ऐसे मुफ्त में गाड़ी रखेंगे तो देश दिवाला फूंकेगा दिवाला ।'' मनोरचाचा ने अभी भी अपनी हैये की वराल निकालते हुए कहा ।

''चाचा, मोदी साहब ने तो लोगों का जीवन बचाने का ये काम किया है । और तुम ऐसा नगुना बोलते हो ?'' आगंतुक ने ऊँची आवाज से कहा ।

''नहीं नगुना नहीं बोलता हूं भाई । लोग उसका दुरुपयोग करेंगे उसका ये नरेन्द्रभाई को कहाँ पता है ?'' मनोरचाचा ने कहा ।

''ये कैसे चाचा ?'' आगंतुक ने आश्चर्य के साथ सवाल किया ।

''देखो अहमदाबाद में रहते हमारे गाँव के मोहन भै है न उसके वहाँ मैं गत मास काम से गया था । मोहन भै के पडोसी बहन को सर्दी हो गई थी तो तुरन्त ही १०८ को फोन किया और गाड़ी आकर अस्पताल ले गई । उनके पास तो लाखों रुपये हैं । रुपये के ढग (ढेर) में खेलते हैं फिर १०८ बुलायी । और एक घण्टा अस्पताल रुककर वापस निकल गये, और बाजार से सब्जी और दूसरी खरीदी करके उनके ड्राइवर को बुलाकर घर वापस आये । मैंने पूछ कि अस्पताल क्यों न रुके ? तो कहते थे कि यहाँ से रिक्शावाला पच्चीस रुपया ले, ये

थोड़ा जचेगा ? इसलिए मुफ्त में गाड़ी बुलायी और आने के लिए हमारे ड्राइवर को फोन किया । तो रास्ते में से मुझे ले लिया । पच्चीस रुपये बचे । ऐसा है भै लोगों का ।" मनोरचाचा ने उदाहरण देते हुए आगंतुक को कहा ।

"चाचा ये तो एक दर्दी की तरह आकर गाड़ी ले गई । किन्तु हम प्रजा को उनका दुरुपयोग नहीं करना चाहिए । सरकार तो अच्छा ही करती है किन्तु प्रजा ही उसका दुरुपयोग करती है, ये आपने कहा ऐसे । इसलिए ही सरकारी योजनाओं का लाभ गरीबों तक पहुँचता नहीं है । और सरकार बदनाम होती है । इसलिए हमें ही सोचकर उनका उपयोग करना चाहिए ।" आगंतुक ने प्रजा का धर्म समझाते हुए कहा ।

"ये अभी अखबार में आया था कि मेहसाणा जिले में एक भाई ने १०८ पर फोन किया । दस मिनट में गाड़ी आती है या नहीं उसकी खातरी तो करुँ । उन्होंने फोन किया । गाड़ी दस मिनट में आ गई । लेकिन कोई बीमार था ही नहीं । इसलिए बेचारे ड्राईवर को धरम धक्का हुआ ।" मनोरचाचा ने कहा ।

"चाचा जो आप हैरान करने को या मजाक-मस्ती करने को फोन करो और गाड़ी बुलाओ तो अब दंड होता है और दंड फोन करने वाली व्यक्ति से वसूल किया जाता है । नहीं तो लोग फोन करेंगे और गाड़ी दौड़ती रहेगी । इस वक्त सच्चे दर्दी का फोन आये तो वहाँ गाड़ी नहीं जायेगी । इसलिए दर्दी का जीवन मुसीबत में आ जाये, कभी तो दर्दी की मृत्यु हो जाय । इसका जिम्मेदार हम ही हुए न ! इसलिए मजाक, मस्ती, रमूज के खातिर फोन करने से दूसरी व्यक्ति का जीवन दीप बुझा जायेगा । इसलिए सरकार ने ऐसी व्यक्तियों से दंड वसूल ने का तय किया है ।" आगंतुक ने मानवधर्म समझाते हुए कहा और आगे कहा :

"देखो ये तुम्हारी ही बात करो । दूसरे किसी ने रमूज की खातिर खाली फोन किया होता तो ये तुम्हारे सजनबा और उनके बच्चे की जिंदगी जोखिम में आ सकती कि न आ सकती थी ? इसलिए लोगों को ही इसका बिचार करने का और ऐसी अच्छी योजनाओं का सदुपयोग करने का । ऐसी सुनहरी सवलत का दुरुपयोग नहीं करना ये हमें ही ध्यान रखना है ।"

''अच्छा तुम्हारी बात सही है, भई । लेकिन आप हमारे गाँव में कहाँ से आये और कहाँ जाना है ये तो आपने कहा ही नहीं ?'' गोकलचाचा ने उत्साहपूर्वक और मूलभूत सवाल किया ।

''चाचा, मैं तो गाँव के लोगों का जीवन देखने और जानने को निकला था । ये तुम्हारे गाँव के लोगों के जीवन में कैसी-कैसी मुश्किलें पड़ती हैं, आप लोगों का जीवन कैसे संघर्ष और मुसीबत वाला है ये देखने और जानने को निकला था । मैं गाँव के लोगों पर Ph.D. करना चाहता हूँ इसलिए ये सब जानना मेरे लिए जरूरी है, इसलिए फिरता-फिरता तुम्हारें गाँव आ गया और तुम मिल गये । गाँव के संघर्ष की एक कथा – एक अध्याय मुझे मिल गया । ये आपके बेटे की बहू सजनबा का और उनके बच्चे का जीवन बचाने के लिए मुझे निमित्त बनने का होगा-मेरे हाथ से ये दोनों का जीवन बचाना होगा-ये सत्कार्य मेरे हाथ से लिखा होगा इसलिए मैं चलता-चलता तुम्हारे गाँव में आया था ।'' आगंतुक ने नि:स्वार्थ भाव से कहा ।

''तो ऐसा कहो कि आप पढ़ने निकले थे !'' मनोरचाचा ने कहा ।

आगंतुक उत्तर दे उससे पहले डॉक्टर अस्पताल के कमरे से बाहर आये तो सब का श्वास अद्धर हो गया और डॉक्टर की ओर दौड़े, तो डॉक्टर ने कहा कि :

''सजनबेन ने पुत्र को जन्म दिया है और वो भी देवरुप जैसा पुत्र ।''

ये सुनकर गोकलचाचा के मुँह पर आनंद और खुशी समाती नहीं थी । और डॉक्टर एवम् आगंतुक के पैर पकड़कर हर्ष के आँसू के साथ गोकलचाचा कहने लगे :

''डॉक्टर साहब, सही वक्त पर ये भाई हमारे गाँव में न आये होते तो ये मेरे बेटे की बहू और उनके बच्चे को क्या से क्या हो जाता ! आप दोनों मेरे लिए तो देव (भगवान) हो देव ।''

''अरे गोकलचाचा आभार मानो हमारे मुख्यमंत्री नरेन्द्रभाई का उन्होंने तुम्हारे जैसे गरीबों के लिए ऐसी १०८ जैसी गाड़ी की व्यवस्था की है । तुम्हारे जैसे दूर-दराज विस्तार में रहने वाले लोगों के लिए तो १०८ वरदान रुप है, वरदान रुप ।'' आगंतुक ने कहा ।

१०८ जब समजनबा को घर भेजने वापस जाती थी तब आगंतुक ने

हाथ ऊँचा करके 'आवजो चाचा' कहा तब गोकलचाचा ने आगंतुक का हाथ पकड़कर 'तुम तो मेरे भगवान हो भगवान' ऐसा कहकर आगंतुक को पुन: अपने घर अतिथि बनकर आने का न्यौता देकर बिदा हुए ।

गाड़ी में जाते-जाते गोकलचाचा और मनोरचाचा बात करते-करते कहने लगे :

"सच में ये नरेन्द्रभाई गरीबों का दोस्त ना कहा जाये तो दूसरा क्या कहा जाये ?"

10. कालिया को मोतियाबिंद

''होड... होड... डचडच डचडच'' करता हुआ बुधिया, कालिया और धोलिया बैलों को बैलगाड़ी को जोतकर डचकारता खेत ले जाता था । पादर आये हुए तालाब में कालिया बैल बैलगाड़ी खींच जाता देखकर बुधिया ने बैलगाड़ी खड़ा कर दिया ।'' ये साले कालिये की आँखें फूट गई हो इस तरह रास्ते पे चलता ही नहीं और तालाब में खींच क्यों जाता है ?'' ऐसा बोलकर बुधिया कालिया बैल को लकड़ी से फटकार ने लगा ।

इतने में खेत में से आते वजाचाचा ने कहा : ''अरे बुधिया किस काम से ये गूंगे जानवर को मारता-पीटता है । ये बेचारे गूंगे पशु ने तेरा क्या बिगाड़ा है ?''

''अरे चाचा ये साला अभी से खराब आदते चढ़ गया है । काम करना पड़े इसलिए बल पड़ता है । अभी-अभी से नौटंकी करता हो गया है । दो दिन पहले बैलगाड़ा लेकर आता था तो गाड़ी गड्ढे में लेकर उतर गया था । ये तो अच्छा हुआ कि गाड़ी औंधी न गिर गई । वरना मेरी और ये बच्चों की क्या हालत होती ? गई साल नहीं देखा था । हमारे वो रमणचाचा गाड़ी लेकर जाते थे और उनके बैल बैलगाड़ी लेकर नहर में उतर गये थे । रमणचाचा बेचारा गाड़े के पहिये के नीचे आ गये और वहाँ के वहाँ मर गये । ये साला हमको भी मारने बैठा है ।'' ऐसा कहकर फिर बुधिया कालिये बैल को मारने लगा और खेत की ओर गाड़े को हंकारा ।

दो दिन बाद फिर कालिया बैलगाड़ी को गड्ढे में खींच गया इसलिए बुधिये का गुस्सा बढ़ गया । बुधिया ने कालिये को बहुत ही पीटा लेकिन कालिया नहीं सुधरा, उनके पराक्रम चलते ही रहे !

आज गड्ढे में गाड़ी खींचते जाते वक्त बुधिया कालिये को मारता था तब वहाँ से पसार होते हुए ग्रामसेवक ने पूछा :

"भाई बुधाभाई ! ऐसे बैल को क्यों मारते हो ? बेचारा पूरा दिन हल खींचे, गाडी खींचे और ऊपर से तुम मारते हो ? ये गूंगे प्राणी को मत मारो ।"

"अरे देखो न सेवक । ये पूरी गाडी गड्ढे में खींच गया तब तक उसको दिखता न होगा ?" बुधिया ने संक्षिप्त में पूरा किया ।

"भाई बेचारा थक गया होगा, इसलिए उनको आराम की जरूरत है या फिर उनको आँख में मोतिया बिंद आया होगा इसलिए दिखता नहीं होगा । इसलिए उनको आराम करने दो या उन्हें पशु चिकित्सालय ले जाकर तपास-जाँच कराओ ।" सेवक ने कालिये बैल पर दया दिखाते हुए कहा ।

"अरे सेवक ऐसे थोड़ा थक जाता होगा ! किन्तु अभी से हरामी हो गया है हरामी । और ऐसे पशु को थोड़ा मोतिया बिंद आता होगा सेवक, आप भी ऐसी बात करते हो ?" बुधिया का ऐसा गुस्सा देखकर सेवक चुपचाप चले गये ।

हर रोज की तरह रात को खाना खाकर गाँव के पादर आये चौराहे सब दोस्त मिलते थे, वहाँ बुधिया ने कहा :

''ये नया ग्रामसेवक आया है न वो साला बैल जैसा है ।''

''क्यों अरे बुधिया तुझे ऐसा कैसा अनुभव हुआ तो नया ग्रामसेवक बैल जैसा है ऐसा कहता है ?'' धनिया ने उत्साहपूर्वक सवाल किया ।

''ये देख कल मेरा कालिया बैल है न उसने गड्ढे में बैलगाड़ी उतार दी थी । मैं उसको निकालने के लिए मेहनत करता था और परेशान हो गया था तब ये ग्रामसेवक वहाँ से निकला । खड़ा रहकर मुझे सलाह देने लगा कि बुधाभाई बैल को क्यों मारते हो ? बेचारा थक गया होगा । या फिर उनको मोतिया बिंद आया होगा इसलिए दिखता न होगा ! लो ये ग्रामसेवक बैल नहीं तो क्या कहा जाये ?'' बुधिया ने मुँह मचोड़ते हुए कहा ।

''हा हों बुधिया तेरी बात सही है । परसों वो गंगाचाची को ये ग्रामसेवक कहता था कि आप तहसील मामलतदार की ऑफिस (कचहरी) जाकर तपास करो वहाँ विधवा बहनों को सहाय देते हैं । लो ये गंगाचाची तहसील जा सके ऐसे हैं, उनको ऐसी सलाह देता था ।'' धनिया ने टापशी पूरते हुए कहा ।

''भई उनको क्या । धक्के खाए तो गंगाचाची खाए, और पैसों का पानी करे तो गंगाचाची करें उसमें उसका क्या जाने वाला था ? और काम हो जाए तो कहे कि मैंने किया और ना हो तो कहे आपका

नसीब ! ऐसा ग्रामसेवक का काम है । मुझे भी ऐसा ही कहा । कहता था कि आपके बैल को मोतिया बिंद आया होगा इसलिए दिखता नहीं होगा । इसलिए गड्ढ़े में बैलगाडी डाली होगी । बोलो कभी बैल को मोतिया बिंद आया हो ऐसा सुना था आज दिन तक ? ये ग्रामसेवक बैल जैसा नहीं तो और क्या ?'' बुधिया ने धनिया को समझाते हुए कहा ।

''अरे बुधिया ग्रामसेवक बैल जैसा नहीं किन्तु तू ही बैल जैसा है ।'' धनिया और बुधिया की बात में करसनचाचा कूद पड़े और ताड़ूकते हुए बोले :

''मैं कल मेरे रमेश के यहाँ अहमदाबाद गया था । वहाँ उनके घर टी.वी. चलता था । उसमें हमारे मुख्यमंत्री नरेन्द्र भै हैं वो उनके भाषण में कहते थे कि हमारे गुजरात में मनुष्यों को तो सही पर अब तो पशुओं का भी मोतिया बिंद का ऑपरेशन होता है, और पशुओं को भी दिखते किया जाता है । पूरे देश में एक गुजरात ही ऐसा राज्य है कि जहाँ पशुओं को मोतिया बिंद का ऑपरेशन करता है । ऐसा मैंने सुना था ।'' करसनचाचा ने स्पष्टता करते हुए कहा ।

''न हो करसनचाचा । आपके सुनने में भूल हुई होगी । आपको कितने पिचासी (८५) साल हुए न ? किसी दिन सुना था कि पशु को मोतिया बिंद आया हो । ये तो सब बाते हैं बातें ।'' धनिया ने बुधिया का पक्ष लेते हुए कहा ।

''भाई बुधिया मैंने तो आज तक जिंदगी में नहीं सुना कि पशुओं को मोतिया बिंद आया हो । किन्तु एक काम कर । आणंद अमूल डेरी में तपास करवा कि ऐसा होता है ?'' करसनचाचा ने रास्ता दिखाते हुए कहा ।

''हां... हां तुम्हारी बात सही है करसनचाचा । कल सुबह ही डेरी पे जाकर आणंद अमूल डेरी पर फोन करवाता हूं ।'' बुधिया ने कहा ।

दूसरे दिन सुबह बुधिया गाँव की डेरी पर पहुँच गया और कहा :

''मेरे बैल को बराबर दिखाई नहीं देता है, ऐसा लगता है, मुझे तपास-जाँच करवानी है तो डॉक्टर कब आयेंगे ?''

''डॉक्टर परसों आयेंगे । आप अपना बैल लेकर हाजर रहना ।'' डेरी के कर्मचारी ने उत्तर दिया ।

''किन्तु बैल को मोतिया बिंद आ सकता है ?'' बुधिया ने कर्मचारी को सवाल किया ।

''ये तो डॉक्टर को पता चले । परसों डॉक्टर आने वाले हैं और गाँव के सब पशुओं की तपास करने की है, ऐसा आज शाम को ढिंढोरा भी पिटवाना है । आप हाजर रहना ।'' डेरी के कर्मचारी ने बुधिया को पुन: उत्तर दिया ।

दूसरे दिन डेरी द्वारा गाँव में ढिंढेरा पिटवाया कि, 'गाँव के सभी पशुओं की तपास करने आणंद अमूल डेरी से डॉक्टर आने वाले हैं तो सभी को अपने-अपने पशुओं को लेकर गाँव की बावली में नौ बजे़ हाजर रहना .... साद सुनो.... ओ ....।'

दूसरे दिन पशु मालिक अपने-अपने पशुओं को लेकर गाँव की बावली में हाजर रहें । दाक्तर आये । क्रमश: सभी पशुओं की तपास की, उसमें से कई पशुओं को बुखार की खुराक दी, कई पशुओं को मोतिये का ऑपरेशन करने की क्रमश: तारीख दी और दी गई तारीख को हाजर रहने को कहा । तपास के बाद दाक्तर ने कहा :

''मनुष्य की तरह पशुओं को भी बुखार आता है और पशुओं को भी मोतिया आ सकता है । यहाँ जिन लोगों को तारीख दी गई है ये तारीख को अपने पशु को लेकर हाजिर रहना, जिससे अपने पशु का मोतिये का ऑपरेशन हो सके ।''

ये सुनकर बुधिया तो आश्चर्य में पड़ गया और दी गई तारीख को अपने बैल को लेकर हाजिर रहा ।

बुधिया के कालिया बैल का ऑपरेशन हुआ और उसका बैल देखता भी हो गया, और ठीक से काम करता भी हो गया ।

दूसरे सप्ताह जब डॉक्टर आये तब बुधिया ने अपनी असमंजस दूर करने को डॉक्टर को पूछा :

''दाक्तर साहब, ये पशुओं को भी मोतिया आता है ऐसा किसने कहा ?''

''भाई हमारे मुख्यमंत्री श्री नरेन्द्रभाई मोदी ने इसके लिए सर्जन के पास जाँच करवाई और पता चला कि पशुओं को भी मनुष्य की तरह मोतिया आता है । ये रोग दूर करने को मुख्यमंत्रीश्री ने अपने राज्य में पशु आरोग्य मेले का आयोजन किया है और मेले में ऐसे पशुओं की जाँच करके मोतिये का ओपरेशन किया जाता है । एवं बिना मालिक के घूमते-फिरते हुए पशुओं को घासचारा भी दिया जाता है । पशु होस्टेल खोलकर गाँव के पशुओं को एक स्थल-जगह पर रखने की, घासचारा देने का और दोहने की सगवड़ भी खड़ी की है जिसको ग्रामजनों की ओर से अच्छ प्रतिसाद मिला है ।'' डॉक्टर ने बहुत ही गंभीरता से और स्पष्टता पूर्वक समझाया ।

''ये तो बहुत अच्छ कहा जाय ! हमारे मुख्यमंत्रीश्री प्रजा के साथ-साथ पशुधन की भी देखभाल रखते हैं । ये तो अच्छ कहा जाय ! वरना मैं थोड़े दिन इंतजार करता और मेरा बैल काम न करता तो मैं उसको बेच देता और दूसरा बैल लाने वाला था ।'' बुधिया ने कहा ।

''भाई बुधाभाई ये योजना सारे देश में कहीं भी नहीं है । हमारा ही राज्य पहला है जहाँ पशुओं का मोतिया बिंद का ऑपरेशन किया जाता है और पशुओं को मौत के मुँह से बचाये जाते हैं ।'' डॉक्टर ने योजना समझाकर बिदा लेते हुए बुधिया को कहा ।

बुधिया, धनिया और करसनचाचा घर जाते-जाते एक बड़ा सवाल छोड़ते गये :

"सच में ये नरेन्द्र भै तो नरेन्द्र भै ही हैं । उन्होंने कभी भी खेती नहीं की, फिर भी हमारे जैसे किसानों का और हमारे पशुओं का ध्यान गांधीनगर में बैठे-बैठे रखते हैं, तब तो ये हमारे दोस्त न कहा जाये तो और क्या कहा जाय ?"

 अपना दोस्त-नरेन्द्र मोदी

11. भगवान का अंश

श्रावण मास का पवित्र दिन था । सूरज देवता आकाश में चढ़ते ही जा रहे थे । बोटाद (गुजरात का एक शहर) शहर के पादर में मानव मेदनी की भीड़ जमी थी । उनका एक प्रमुख कारण बोटाद आज नया जिला बनने वाला था - बोटाद नये जिले का रूप धारण करने वाला था । बोटाद शहर में आज नये रूप-रंग सजे-धजे थे । सरकारी आवास और कई प्राईवेट मकानों पर भी रंगबिरंगी लाईट से रोशनी करके बोटाद शहर को सजाया गया था । बोटाद शहर आज नववधू के रूप में श्रींगार करके जिले की ग्रीवा (डोक) में वरमाला पहनने के लिए उत्सुक था । गाँव-गाँव से लोग बड़ी तादाद में आ रहे थे । विशाल सभामंडप में और सभामंडप के बाहर ढोल-नगाडे-शहनाई की सूरावलियाँ सुनाई जा रही थीं । बड़े उत्सव का माहोल था । नवनिर्मित जिले को (नये जिले को) स्वीकृत करने का बड़ा आनंद-उत्साह लोगों में दिखाई दे रहा था ।

श्रावण मास का दिन होने के बावजूद भी असह्य गर्मा थी । एक ओर सख्त ताप और दूसरी ओर बारिश जैसा वातावरण (माहोल) था । फिर भी नये नवेला जिला का शुभ आरंभ करने के लिए माननीय मुख्यमंत्री श्री नरेन्द्रभाई मोदी आने वाले थे । मुख्यमंत्रीश्री को देखने-सुनने के लिए लोग जल्द से जल्द अपनी जगह पाने के लिए सभा-मंडप की ओर जा रहे थे । 'जगह नहीं मिलेगी तो ?' ऐसे भाव लोगों के मुँह पर देखने को मिलता था । यानी कि लश्कर में लड़ने के लिए जल्दी में न हो । ऐसे लोग उतावले-अधीरे बन गये थे । और जहाँ जगह मिली वहाँ शांति से बैठ जाते थे ।

एक दादाजी थे । उनका नाम अभेसंग था । बोटाद शहर के पास आये हुए बरवाला गाँव के रहने वाले थे । उनका बड़ा बेटा बोटाद में नौकरी करता था । इसलिए अभेसंगजी पौत्र-पौत्री का ध्यान रखते थे और

जिंदगी के बाकी दिन पसार करते थे । उनकी उम्र करीब ८८-९० साल की थी । चला नहीं जाता था, मुँह में दाँत नहीं थे, तो भी थोड़ा ओटो रिक्शा में बैठ के और थोड़ा धीरे-धीरे चलते-चलते सभा-मंडप की ओर आ रहे थे । सफेद, धोती, सफेद बुशर्ट जैसा पहनावा था । सिर पर सफेद पघड़ी थी । पाँव में पुराने टूटे हुए, गामठी बूट पहने थे । और ऐसे आकुल-असह्य गर्मी में पैदल चलकर थक गये थे । पसीने से भीगे हुए और थकान से परेशान होकर एक वृक्ष के नीचे बैठे थे ।

दादाजी को देखकर मुझे उनके साथ बातचीत करने का मन हुआ । मैं भी उनके पास जा कर वृक्ष के नीचे बैठ गया । बातों-बातों में मैंने पूछ डाला कि, ''दादाजी इतनी धूप-गर्मी में और बारिश के माहौल (वातावरण) में आप क्यों यहाँ आये हो ?'' दादाजी ने जो उत्तर दिया वो सुनकर मैं यकायक आश्चर्यचकित हो गया - आश्चर्य में पड़ गया ।

दादाजी ने कहा कि, ''भाई नरेन्द्र मोदी को सुनने आया हूँ । मैं उनको मिल तो नहीं सकता । इतनी गीर्दी (भीड़) में - इतनी धक्का-मुक्की में, मैं कहाँ उनको मिलने जाऊँ ? यदि मिलने जाऊँ तो भी ये पुलिस वाले मुझे जाने भी नहीं देंगे । लेकिन यहाँ वृक्ष के नीचे बैठकर सुना जाये उतना उनका भाषण सुनूंगा ।''

''लेकिन मोदी साहब का भाषण सुनने का आपको इतना क्यों रस है ? उनसे आपको क्या लाभ होने वाला है ?''

''भाई, मानो तो बहोत लाभ है, बहोत फायदा है और न मानो तो कुछ लाभ नहीं है ।''

''वो कैसा फायदा दादाजी, मुझे बताओगे ?'' तब दादाजी ने कहा, ''आप मंदिर में भगवान के दर्शन करने जाते हो ?''

''हाँ ?''

''तो आपको दर्शन करने जाने की क्या आवश्यकता है ? वो तो पत्थर की बनी हुई मूरत है । वो आपको क्या देने वाली है ?''

''अरे दादाजी भगवान के बारे में ऐसा मत बोलो, मैं आस्तिक हूं - नास्तिक नहीं हूं ।''

''बस तो ये भी ऐसा ही है । नरेन्द्र मोदी अपने गुजरात राज्य के

मुख्यमंत्री हैं, और मुख्यमंत्री यानी कि राजा । ये राजा में भी ईश्वर-भगवान का अंश होता है । इसलिए राजा के दर्शन किये जायें तो भगवान का दर्शन किये बराबर होता है । नरेन्द्र मोदी भी भगवान का अंश है । राजा भी भगवान का-ईश्वर का अंश है, और ये ईश्वर के दर्शन करके पावन-पवित्र होने को आया हूं ।"

"तो फिर दादाजी आपको प्रयत्न करना चाहिये और मोदी साहब को मिलना चाहिये ।"

"भाई, मैं तो वहाँ तक नहीं जा सकता । एक धक्का लगे तो भी मैं गिर जाऊँ और ये पुलिस वाले भी मुझे नहीं जाने देंगे । लेकिन नरेन्द्र मोदी आयेंगे तब ये बाहर टी.वी. (स्क्रीन) पर देख लूंगा और उनका भाषण सुनूंगा ।"

दादाजी ने आगे कहा कि, "भाई हम अपने बच्चों को पढा नहीं सकते, उनकी देखभाल- परवरिश नहीं कर सकते और ये नरेन्द्रभाई सारे राज्य के बच्चों का ध्यान रखते हैं । बच्चे पढ़ते हैं या नहीं उनकी चिंता करते हैं । वो इसलिए चिंता करते हैं क्योंकि उनमें देव का-भगवान का-ईश्वर का अंश है । ऐसे भगवान जैसे मानवी का दर्शन करके पावन होने को आया हूँ । भगवान हररोज तो दर्शन देता नहीं है, वो तो कभी भी-जीवन में एक बार शायद दर्शन देता है । नरेन्द्र मोदी यानी कि राजा भी हररोज नहीं आते । वो आज जब बोटाद में आये हैं तब नजदीक से नहीं तो दूर से भी मिले तो भी अच्छ । उनके दर्शन ही मेरा अहोभाग्य है । ये नरेन्द्र मोदी इतनी दूर से आये हैं तो मैं आलसी बन जाऊं तो कैसे चलेगा । इसलिये ज्यों-त्यों करके उनके दर्शन करने आया हूँ ।" अनपढ़ ऐसे अभेसंग दादा की फिलासॉफी देखकर-सुनकर मैं तो दंग रह गया- आश्चर्यचकित हो गया ।

इस दौरान मुख्यमंत्रीश्री ने अपना भाषण शुरु किया और भाषण में कहा कि, "मैं अपने बच्चे पढ़े इसलिए भीख माँगने आया हूँ । आप अपने बच्चों को पढ़ाओ । वो अपनी आने वाली कल को उज्जवल बनायेंगे । वो देश का उज्जवल भविष्य हैं । देश की संस्कृति के रक्षक हैं । और देश की संस्कृति-देश की विरासत का जतन करना-देखभाल करना वो हम सब का फर्ज है ।"

दादाजी की विचारधारा पर चिंतन करता हुआ मैं मेरी फर्ज निभाने के लिए आगे चला गया। मैं जब मेरा काम संपन्न करके वापस लौटा तब दादाजी टी.वी. स्क्रीन के पास जमीन पर बैठ के ध्यान से-एक चित्त लगाकर मुख्यमंत्रीश्री का भाषण सुन रहे थे। मैं थोड़ी दूरी पर उनके पीछे खड़ा रहा। मुख्यमंत्री श्री नरेन्द्रभाई मोदीजी का भाषण पूर्ण होते ही दादाजी मुख्यमंत्री श्री नरेन्द्रभाई मोदी को (टी.वी. स्क्रीन के परदे पर) प्रणाम कर के धीरे-धीरे अपने घर की ओर चलने लगे तब मैं उनको पुनः मिला और पूछा कि, ''दादाजी आपने भगवान के दर्शन किये ?''

''हां भाई, दर्शन भी किये और प्रसाद भी लिया।''

मैं और असंमजस-उलझन में पड़ गया। दर्शन किये वो तो ठीक है, लेकिन ये प्रसाद की बात कहाँ आयी ? दादा जानि कि मेरी मश्करी करते हो ऐसा मुझे लगा। इसलिये दादाजी को मैंने पूछा कि, ''ये प्रसाद वाली बात मेरी समझ में नहीं आयी दादाजी। आप मेरी मश्करी मत करो।''

''भाई मैं मश्करी नहीं करता हूँ। प्रसाद यानी कि अपने हाथ में पेडे या कोई मिठाई मिले उसको प्रसाद कहा जाय ऐसा नहीं है। मोदी साहब ने कहा वो तो आपने सुना होगा लेकिन उनके कहने का मतलब (भावार्थ) आप समझे नहीं है।''

''मोदी साहब ने क्या कहा ?''

''मोदी साहब ने कहा कि, अपनी संस्कृति-अपनी विरासत का जतन करना-उनकी देखभाल करना वो हम सब का फर्ज है। ये अपनी संस्कृति एक प्रकार का प्रसाद ही है। मोदी साहब के ये शब्द अपने जीवन में ओत-प्रोत करके संस्कृति का जतन करना, उनकी देखभाल करना हम सब का फर्ज है। बच्चे अपना भविष्य है। यह प्रसाद रूपी बच्चों को पढ़ायें-संस्कार सिंचन करें और देश का भविष्य उज्जवल बनायें-मजबूत बनायें। उनमें संस्कार सिंचन करना, क्या ये प्रसाद नहीं है ?''

मैं आश्चर्य में पड़ गया।

एक अनपढ़ और गँवार जैसे मनुष्य में भी कितनी उच्च समझ और फिलासॉफी है वो मुझे समझ में आया। मैं पढ़ा-लिखा होने के बावजूद भी दादाजी के आगे तुच्छ लगने लगा। अनपढ़ और गँवार जैसे मनुष्यों

में भी भारतीय संस्कृति के लिए कितनी भावना और प्रेम है वो मुझे दादाजी में देखने को मिली । ऐसे मनुष्यों के कारण ही अपनी भारतीय संस्कृति विश्व में उत्तम संस्कृति के रूप में विकसी हुई है-उड़ान भर रही है । ये तो कैसा संजोग है, मुझे अभेसंग दादा में ईश्वर-भगवान के दर्शन हुए और अभेसंग दादा को मुख्यमंत्री श्री नरेन्द्रभाई मोदी में भगवान के दर्शन हुए ।

अभेसंग दादा आहिस्ता-आहिस्ता कदमों से चले जाते थे । अभेसंग दादा को मैं अनिमेष नजरों से जब तक वो अदृश्य हुए तब तक देखता ही रहा..... देखता ही रहा.... ।

दोनों विभूतियों का दर्शन करके मैं भी धीरे कदमों से चलता था तब मेरे मन में एक सवाल उठा : 'अभेसंग दादा जैसी सभी भारतीयों की विचारधारा हो तो...?'

12. आधुनिक युग की शबरी – वीरा केकी सीधवा

गुजराती में कहावत है कि, ''मन होय तो माळ्वे जवाय ।'' और दूसरी एक उक्ति ऐसी भी है कि, ''समय से पहले और भाग्य से ज्यादा न किसी को मिला है, न किसी को मिलेगा ।'' ऐसी ही एक घटना दक्षिण गुजरात के वलसाड के पास आये हुए उदवाडा गाँव में बन गई ।

उदवाडा गाँव में पारसिओं की जनसंख्या (वस्ती) ज्यादा है । इस गाँव में वीरा केकी सीधवा नामक एक बाई अकेली ही रहती थी । ५६ वर्ष की उनकी उम्र थी । ब्याह होने के एक ही साल में उनके पति पाक इरानशाह को-भगवान को प्यारे हो गये । अकेली बाई संसार सागर से नासीपास हो गई । उनको संसार रसहीन लगने लगा । वो हर रोज सुबह-शाम पारसी अगियारी के दर्शन करके पाक इरानशाह बापा को याद करके शेष जिंदगी बिता रही थी ।

वो अनपढ़ थी, इसलिए पढ़ना-लिखना कुछ आता नहीं था । लेकिन नवीन सुनने-जानने की उनकी आदत थी । इसलिए स्कूल जाते हुए बच्चों के पास वर्तमानपत्र (अखबार) पढ़वाती थी और राज्य एवं देश-विदेश के समाचार सुनकर खुश होती थी । और अपने बिखरे हुए घोंसले के दुःख में से बाहर निकलकर थोड़ा आनंद ले लेती । बच्चे हर रोज वर्तमानपत्र के बड़े-बड़े शीर्षक पढ़ के सुनाते थे । उसमें बार-बार मुख्यमंत्री श्री नरेन्द्रभाई मोदी ऐसा कहते थे कि, ''लड़कियों को पढ़ाओ'', ''एक लड़की पढ़ेगी तो दो परिवार प्रगति करेंगे,'' ''एक लड़की पढ़ेगी तो भावी पीढ़ी को-उनके बच्चों को (संतति को) पढ़ायेगी'', ''एक लड़की पढ़ेगी तो दो कुल प्रगति करेंगे ।'' ऐसा बार-बार वर्तमानपत्र में से सुनने को मिलता था ।

वीरा केकी सीधवा रात-दिन सोचती थी कि, ये मुख्यमंत्री नरेन्द्रभाई मोदी को ऐसा तो क्या हो गया है कि सभी बच्चों को, खास करके लड़कियों को पढ़ाना चाहते हैं ? उसका चिंतन-मनोमंथन करती थी । अंत में वीरा केकी सीधवा को भी मनोमन हुआ कि, मुख्यमंत्रीश्री की बात सच है । सही में लड़कियों को पढ़वाना चाहिये और लड़कियों को पढ़ना चाहिये । और वीरा केकी सीधवा ने मनोमन तय किया कि, मैं क्यों हर रोज ये बच्चों को परेशान करती हूँ-तंग करती हूँ ? मेरे आनंद के खातिर ये बच्चों के समय का क्यों भोग लेती हूँ ? मुझे भी पढ़ना चाहिये । ऐसा करते-करते वीरा केकी सीधवा ने भी पढ़ना-सीखना शुरू कर दिया । और जब वो सीखती थी तब मनोमन कहती भी थी कि, ये नरेन्द्रभाई को मुझे एक दिन देखना है । वो मुझे कब देखने को मिलेंगे ? जरूर वो मुझे एक दिन तो देखने को मिलेंगे । ऐसा करते-करते सीखते-सीखते दस साल बीत गये । अंत में वो पढ़ना-लिखना भी सीख गई ।

समय-समय का काम करता है । वीरा केकी सीधवा की उम्र भी हो गई थी । ६६ वर्ष की आयु होने के बावजूद अंतिम दस साल से मुख्यमंत्री को देखने के लिए उनकी आँखे तरस रही थीं । मुख्यमंत्री कब आयेंगे, कब देखने को मिलेंगे । यही जिंदगी में (इस अवतार में) देखने को मिलेंगे या नहीं इत्यादि सवाल उनके मन में पैदा होते थे । एक ऋषि-मुनि की तरह नरेन्द्रभाई यह अवतार में एक बार देखने को मिल जायें तो मेरा जीवन धन्य हो जाये । नरेन्द्रभाई के दर्शन करके मैं पावन (पवित्र) हो जाऊँ । ऐसी भावना उनके मन में थी ।

भगवान ने-पाक इरानशाह बावा ने उनकी अरजी-बिनती सुन ली हो ऐसे वीरा केकी सीधवा ने वर्तमानपत्र में बड़े-बड़े अक्षरों से लिखा शीर्षक टूटी-फूटी भाषा में धीरे-धीरे पढ़ा । लिखा था : ''दिनांक २४/०४/२०११ के दिन श्रीजी पाक इरानशाह बावा की १२९०मी सालगिराह पर माननीय मुख्यमंत्री श्री नरेन्द्रभाई मोदी उदवाड़ा में आने वाले हैं ।'' यह पढ़ते ही वीरा केकी सीधवा ने स्कूल जाते हुए बच्चों को बुलाये और वर्तमानपत्र (अखबार) में जो छपा है वह सच है या नहीं उनकी खातरी कर ली । बच्चों ने भी उनको समर्थन दिया ।

वीरा केकी सीधवा खुशी की मारी नाचने लगी । उनकी निस्तेज आँखों में चमक आ गई । नरेन्द्रभाई को देखने के लिए तरसती आँखें तेजीली बन गई । मीराबाई कृष्ण को मिलने के लिए तरस रही थी- बावरी हो गई थी, उसी तरह वो बावरी हो गई हो उसी तरह जो कोई मिलने आये उसको कहती थी कि, दिनांक २४ को नरेन्द्रभाई उदवाडा आने वाले हैं, तुम सब लोग उनको देखने को जाना । वो तो कब दिनांक २४ आये और मैं नरेन्द्रभाई को देखने को जाऊँ-उनके दर्शन करने को जाऊँ उनके लिए अधीरी बन गई थी । लेकिन मन में दूसरा भी विचार आता था कि मैं तो चल भी नहीं सकती, मैं कैसे नरेन्द्रभाई को देखने को जाऊँगी ? मुझे कौन ले जायेगा ? ऐसे विचारों में खो जाती थी । लेकिन अंतर से उनको आस्था थी कि, जरूर मैं मुख्यमंत्रीश्री को देखूंगी- नरेन्द्रभाई को देखूंगी, उनको मिलूंगी और मेरे जीवन को धन्य बनाऊँगी । फिर कुछ भी हो जाय, मैं नरेन्द्रभाई को अवश्य मिलूंगी- उनको देखूंगी । ऐसे मक्कम निर्धार के साथ-मक्कम मनोबल के साथ-आत्मविश्वास के साथ अपने आंगन में टूटी-फूटी चारपाई और टूटी- फूटी गोदड़ी (बिछाना) में दिनांक २४ अप्रैल की आतुरता में बैठी रहती ।

वीरा केकी सीधवा जो दिन की राह देखती बैठ रही थी वो दिन की आज शुभ प्रभात थी । वीरा केकी सीधवा सुबह से ही आंगन में बैठ रही थी । जैसे-जैसे दिन चढ़ता गया तैसे-तैसे उनकी धीरज की कसौटी होने लगी । उनके इन्तजार की आतुरता बढ़ने लगी । उदवाड़ा गाँव में चहल पहल होने लगी । शिक्षक, बालक सांस्कृतिक कार्यक्रम करने के लिए उसमें व्यस्त हो गये । गाँव के लोग सभा-स्थल पर अपनी-अपनी जगह लेने लगे । बड़े-बड़े अफसरों और मंत्रीयों की, उदवाड़ा ने कभी भी न देखी हो इतनी गाड़ियाँ छोटे से गाँव में आने लगीं । जगह-जगह पर पुलिस की पहरेदारी हो गई । वीरा केकी का मन विवश होने लगा कि, इतना ज्यादा पुलिस में, इतने ज्यादा लोगों की भीड में मैं नरेन्द्रभाई को कैसे देख पाऊँगी ? कैसे मिल पाऊँगी ? वो जो कोई आये उसको अधीरता से अपनी पारसी बोली में पूछती : "एवन आवी गिया ? एवन आवी गिया ?" (वो आ गये ? वो आ गये ?)

इस दौरान मुख्यमंत्री श्री नरेन्द्रभाई मोदी पारसी अगियारी के दर्शन

करने को आ पहुँचे । पाक इरानशाह बावा के दर्शन करके सभा मंडप में पहुँच गये । सभा-मंडप में आये हुए सभी नागरिकों, गाँव लोगों को संबोधित करके मुख्यमंत्री श्री नरेन्द्रभाई अपने सुरक्षा कर्मियों के साथ वापस लौटे । वीरा केकी सीधवा अब नासीपास (हताश) हो गई थी कि अब उनको नरेन्द्रभाई देखने को नहीं मिलेंगे । वह अपनी टूटी-फूटी चारपाई को बरामदे के बाहर खींचकर लायी और बैठी थी । दौरान माननीय मुख्यमंत्री श्री नरेन्द्रभाई अपने सुरक्षा कर्मियों के साथ वापस जा रहे थे, जहाँ वीरा केकी सीधवा बैठी थी वहाँ से पसार हुए । वीरा केकी सीधवा ने यह देखा तो उसने सारे शरीर की ताकत इकट्ठी करके जाते हुए काफिला के सामने हाथ ऊँचा किया । मान. मुख्यमंत्री श्री नरेन्द्रभाई मोदी ने यह बाई को देखकर तुरंत ही अपना काफिला रोक दिया । और वीरा केकी सीधवा जो चारपाई में बैठी थी वहाँ चलकर गये और उनको वंदन किया-प्रणाम किया ।

वीरा केकी की आशा पूरी हुई । उसने मुख्यमंत्री श्री के सिर पर हाथ फिराया और आशीर्वाद दिये । वीरा केकी के लिए आज का दिन धन्य था-गौरव का था । वो मुख्यमंत्री के दर्शन करके धन्य हो गई । मुख्यमंत्रीश्री उनके आशीर्वाद लेकर धन्य हो गये । वीरा केकी की जिंदगी का ये सबसे बड़ा सुखद दिन था । वीरा केकी की आँखों में से हर्षाश्रु की धारा बहती थी । मुख्यमंत्रीश्री आशीर्वाद लेकर विदा हुए । वीरा केकी की तपश्चर्या फलीभूत हुई । भगवान रामचंद्र के दर्शन के लिए शबरी ने अपनी सारी जिंदगी बीता दी तब भगवान राम शबरी को मिले थे इसी तरह गुजरात के उदवाड़ा गाँव की आधुनिक युग की शबरी-वीरा केकी सीधवा थी । इसीलिए तो गुजराती में कहा गया है कि, "मन होय तो माळवे जवाय ।"

13. राजा के देवता

[गुजरात राज्य के छौर पर आया हुआ डांग जिले की डांगी बोली का इस वार्ता में प्रयोग किया है । यह बोली आदिवासियों की बोली है । गुजरात के डांग विस्तार की डांगी बोली, महाराष्ट्र का कोंकण प्रदेश नजदीक होने के कारण कोंकणी बोली और ये प्रदेश आदिवासी प्रदेश होने के नाते आदिवासी बोली ये तीनों बोली मिश्रित यह वार्ता है । जिस से उनका हिन्दी नहीं हो सकता इसलिए जैसे लिखी गई है ऐसे ही उसी बोली में यहाँ प्रस्तुत की गई है ।]

"एला ए उकला, आजकाल टुं टो कामे नी आवटो टे कां कामे जाय हे टे नी आवटो ?"

"एला हुकला ऊं टो आहवा में मांडवो बांढवा जव हुं मांडवो । अेक महीना हुढी कांम चालवानुं हे ।"

"हे नो मांडवो ला । अटारे हे नो मांडवो बांढवानो हे ।"

"आ पेला राजा आववाना हे ने अेटले अेमना हाटु मांडवो बांढवानो हे ।"

"राजा ! अे टे वली केवा राजा ! आपडा राजा टो पांसे पांस राजा (पींपळीना राजा, गाढवीना राजा, लींगाना राजा, वासुर्णाना राजा, दहेरना राजा अे पांच डांग दरबार) डुंगरीमां ज रेहे । अेमणे टो कोई डी मांडवो नी बंढावीयो ।"

"एला हुकला, ऊं आपडा डुंगरीओना राजानी वाट नी करटो । आ टो गांढीनगड थी राजा आववाना हे अेनी वाट करटो हुं ।"

"टे हें उकला, गांढीनगडमां वली किया राजा रेहे ?"

"एला हुकला, गांधीनगडमां आखा गुजराटना राजा रेहे अने अे छव्वीसमी टारीके आपडा डांगमां आववाना हे अेनी टैयारीओ चाली रेहे ।"

"हें उकला, आ गांधीनगडना राजा हुं कांम अहीं आववाना है ? राजा टे कोई डी अहीं आवटा ओहे ?"

"एला हुकला, गांढीनगडमां आखा गुजराटना राजा नरेन्द्र मोदी रेहे अने ए आपडे आझ़ाड ठीया एनी उजवणी करवा आववाना है ।"

"नरेन्द्र मोदी ! में टो पहेला गांढी बापु अने झवडलाल नेहडुनुं नांम हांभळीयुं टु । आ नांम टो पेहली ज वार हांभळीयुं ।"

"हुकला टुं टो जंगलमांना काममांठी नवडो ज नी पडे । नवडो पडे ने कोई डी हे'र (शहेर) मां जाऊँ टो खबर पडेनी ? टुं टो जंगलमांठी बा'र ज नी नीकले टो कां ठी खबर पडे के गुजराटना राजा कोण हे ?"

"टे हें उकला, ए अहीं हुं कांम आववाना हे ?"

"हुकला में टने कीढुं ने के आपडे आझाड ठीया एनी उजवणी करवा आववाना हे ।"

"आपडे आझाड ठीया ? उकला आपडे कारे आझाड ठीया ? आपडे टो पींपळीना ने वासुर्णाना राजाने टां ज काम करवुं पडहे ने ? आपडे कां आझाड ठीया हे ?"

"हुकला आपडे आझाड ठीया ने ६०-६० वरह ठेई गियां अने टने खबर ज नी हे के आपडे कारे आझाड ठीया ?"

"ना उकला, मने टो कांई ज खबर नी हे । आ मने टो एटली खबर हे के आंय पेला डर पांच-पांच वरहे आवीने केहे के ठप्पा मारवा आवहो । अने डह-डह रूपिया डई जाय हे, कां टो मफटमां महुडो (दारु) पीवडावी डेहे । आपडने एटली आझाडी मळी हे एटली खबर हे । आ जंगलमां वली आपडने आझाडी केवी ?"

"हुकला आ आझाडी केवी होय एनी हमज पाडवा नरेन्द्र मोदी आववाना हे । मोडी आवहे, भाषण करहे अने आपडी हरकारे हुं हुं करीयुं ए बढुं ज मोडी केहे, टे टुं हांभलजे एटले टने बढी खबर पडहे ।"

"पण उकला मोडी आवहे ने केहे टारनी वाट टारे । पण हमणां टुं टो केहे के आ नरेन्द्र मोडीनी हरकारे हुं हुं कीढुं (कर्युं) ?"

"केम, टने नी खबर हे हुकला । आ नरेन्द्र मोदीए डामरना पाका रोड बनावीया । आपडा लोकोने रोजी-रोटी मली हे ने, आ मोटरुं हडहडाट रोड पर डोंडे हे ने घडीक में आहवा पहोंचे हे ।"

"उकला ए टो मोटा मोटा मालडारोने झट झट पहोंचवा हाटु रोड बनावीया हे एमां आपडने हुं लाभ ठीयो ?"

''हुकला अेम केम बोले टुं ? टने केम लाभ नी ठीयो । आ टारी बायडी (घरवाळी-पत्नी) जंगलमांथी महुडां, गुंदर अने केहूडो वेणटेली अने हवारनी भाट लईने जटेली टारे हे'रमां पोंचटेली अने अे बढुं वेसीने आवटां हांज पडटेली टारे घर भेगी ठटेली अे कां भूली गियो ? अवे टो आ रोड हारा ठीया अेटले घडीकमां हे'रमां जईने महुडां, गुंदर ने केहूडो वेसीने, टुं जंगलमांथी घेर नी पो'चे टार पेहलां टो अे पाछी आवी जाय हे, अे आ नरेन्द्र मोडीअे रोड बनावीया अेनो लाभ टने बी मळीयो के नी मळीयो, बोल जोये ?''

''हा, हा, अे टो जाणे बराबर उकला पण अे मोडी राजा अहीं आ जंगलमां आवीने करहे हुं ?''

''में कीढुंने हुकला, अेवा अे आवीने भाषण करहे अने आपडने आझाडी केवी रीटे मली अेनी वाटो करहे । अेमनी हरकारे आपणा हाटु हुं हुं करीयुं अने हवे हुं हुं करवानुं बाकी हे अे बढुं अेमना भाषणमां केहे टे टुं हांभलजे ।''

''टे हें उकला अे कीये दा'डे आहवामां आववाना हे ?''

''अे टो पच्ची टारीके आवी जहे ने राटवाहो आहवा में कर हे ।''

''हें ! अेटले राजा अहीं राट रोकावाना है ?''

''हा... हा... नरेन्द्र मोडी राट रोकाहे ने बढा अढिकारीओ हाठे वाटचीट बी करहे ।''

''अेला उकला आ मोडी अढिकारीओ हाठे केवी वाटचीट करहे ?''

''बढाने पूछीने जाणी ले हे के, अहीं डांग में लोकोने कोई दुख टो नी हे ने । लोकोने बढी वस्टुओ मळी रेहेने । मारी परजाने कोई टकलीफ टो नी हे ने । अेवी चर्चा करहे ।''

''टे हें उकला आपडने अहीं कंई टकलीफ हे ? आपडने टो कोई टकलीफ नी हे । अे.... हवारे ऊठीने जंगल में जईअे हे ने गुंदर, केहूडो भेगो करीने वेसी हाटी दा'डा काढीअे हे ।''

''अेला हुकला, अेवी टकलीफोनी वाटो नी हे । टमने रेशन मळे हे के नी मळे । छोकरांने कोई रोग हे के नी हे । दवाखाना में दाकतर अने निशाळ में मास्टर आवे हे के नी आवे हे । गाममां तलाटी आवे हे के नी आवे हे । अने आ तलाटी, मास्टर अने दाकतर बढा ज आवे हे टो हुं

करे हे .... छोकरांने भणावे हे के नी भणावे हे अे बढी टपाह करहे ।''

''टे आ नरेन्द्र मोडी आवहे तियारे अे आ बढी ज जगाअे टपाह करवा जहे ?''

''अे जाटे नी जवाना । अेमना माणहो-अढिकारिओं फरी फरीने बढी टपाह करहे अने मोडीने जाण करहे ।''

''अे हा उकला महिना डी पेहलां मारा छापरे सायेब जेवा लागटा अेक अढिकारी आवेला अने केटा ऊटा के टमने कोई टकलीफ पडे हे ? गांममां पाणी मळे हे ? टलाटी आवे हे ? मास्टर छोकरांने बराबर भणावे हे के नी भणावे हे ? अेवुं बढुं मने पूछी गेला अने अेमना चोपडामां लखी लेई मारो अंगूठो बी करावेलो.''

''टे भई हुकला टें जवाब में हुं हुं कीढुं टुं ?''

''में टो कीढुं टुं के आ जंगलमां कोई नी आवे अने आवे टो घडीक बेहीने जटो रे हे ।''

''पछी हुं ठीयुं ?''

''आ सायेब जेवा लागटा अढिकारी लखीने गिया पछी कोण जाणे चमत्कार ठीयो । चार-पांच डाडामां टो मास्टर हवारे निहारमां आवी जटोटो ने हांजे मोडा हुढी रेटो ठेई गियो । पेलो टलाटी बी रोज वेळ्हर आवटो ठेई गियो ।''

''टो पछी हुकला टुं अेवुं केम केहे के आपडने कोई लाभ नी मळीयो । आ छोकरां निहारमां खुशीठी भणे हे.... टलाटी आवे हे अने लोकोनां कांमां हो ठाय हे अने टुं केहे के आपडने कोई लाभ ज नी ठीयो अेम केम केहे ?''

''पण अे टो पेला अढिकारीअे आवीने आवुं बढुं हरखुं करी डीढुं । अेमां मोडी राजाअे हुं कीढुं (कर्युं) ? अने अेमणे अहीं हुढी आववानी हुं जरूर पडी ? राजा टो कोई डी अेमनो मेल (महेल) छोडीने अहीं जंगलमां आवटा ओहे ?''

''हुकला आ मेल (महेल) में रे'वा वाला राजा नी हे । आ राजा टो अेवा हे ने के अे टो घेर घेर ने झूंपडे झूंपडे जई अने लोकोनी खबर अंटर पूछे हे । अे टो राजा जेवुं ठिखटा ज नी हे । हमणां ठोडा मईना पेहलां अेमणे सड्भावना राखेली । अे सड्भावनामां बढा लोको जटा ऊटा

अने अेमनी हारे हाथ मिलावटाटा ने रांम रांम केटा ऊटा । मोडीय हांमे बढाने रांम रांम केटा ऊटा ।''

''टे उकला आ अेवा केवा राजा हे टे बढाने हामे चालीने मलवा जाय हे ? राजा टो कोई डी मलवा जटा ओहे ?''

''अेला हुकला आ राजाने तो जवानीया उपर जबरो भरोहो । अमडावाड अने गांढीनगडमां आखा गुजराटनां छोकरांने बोलाईन अेमणे मोटी सभा भरी ऊटी । अने आखा गुजराटनां छोकरांने बढी रमटो रमाडी ऊटी । अने जीतेलां छोकरांने ईनामो बी आप्यां ऊटां । आटलां वरहोमां आज हुढी कोई राजाअे छोकरांने आवी रमटो रमाडी हे ? आ ले कर्य वाट । आ अेक राजा अेवा हे के छोकरांने रमटो बी रमाडे हे अने नंबर आवे अेने ईनामो बी आपे हे । अने आपडां छोकरांने ठेठ डिल्ली (दिल्ली) हुढी रमटो रमाडवा ने ईनामो लेवा मोकलवाना हे ।''

''हें उकला आपडां छोकरां ठेठ डिल्ली (दिल्ली) हुढी रमटो रमवा जाहे ?''

''हा, हा, अने रमटो अेकली ज नी, आपडे बढा आ डामरनी हडको बनाई बनाई न ठाक्या । आ मोडी टो हवे आपडां छोकरांने पेलुं अद्ढरियुं (विमान-हेलिकोप्टर) उडाडवा होत मोकलवाना है ।''

''अद्ढरियुं ?''

''हा... हा... अद्ढरियुं, आ टुं जंगलमां केहूडो ने गुंडर वेणे हे टारे गगन में पेलुं अद्ढरियुं (विमान-हेलिकोप्टर) ऊडतुं हे ने टुं आंखो फाडी फाडीने ऊंचे आकाशे जोटो हे ने, अे अद्ढरियुं उडाडवा मोकलवाना है ।''

''आ राजा आपडा छोकरांने अद्ढरियुं उडाडवा मोकलवाना है ! अेला उकला टुं टो जाणे हपनांनी वाटो करे हे हपनांनी । मने टो लागे के टुं टो गांडो ठेई गियो लागे हे गांडो ।''

''अेला हुकला आ कंई हपनांनी वाटो नी है । आ राजा टो हपनांनेय हाचां करी बटावे अेवा है ।''

''अेला उकला टुं बव मोटी मोटी वाटो नी कर । अहीं कोई डी पाहेठी अद्ढरियुं नी जोयुं, कोई डी हाठ नी अडाडियो अे अद्ढरियुं आपडां छोकरां उडाडहे अे हपनुं नी टो बीजुं हुं ?''

''तने भले हपनुं लागतुं छे पण आ हाची वाट हे । अे राजाअे आपडां आडिवासीनां केटलांय छोकरांने पायलोटनी टेनिंग (तालीम) आली हे अने हवे गगनमां अद्धरियुं उडाववानां है ।''

''जो हुकला ऊँ टने बीजी अेक वाट केऊँ । आ पेला गेमलानी डीकरी देवली खरी के नी ? अेणे आहवा में जईने नांम नोंढावेलुं अने सखी मंडळमां जोडाई गेई । आ मंडळमांथी पैहा उपाडीन पेहलां तो अेक भेंह लावी ऊटी । आजे अे सखी मंडळमांथी लोन लईने पांच-पांच भेंहु करी ने अे जलसाठी रेहे । आ मोडीअे तो बेनोने बी रोजी-रोटी आपी हे ने बढांने रोटला भेगां कीढां हे ।''

''टे हें उकला पछी अे लोनना पैहा मोडी उघरावा आव हे ?''

''अेवन उघरावा नी आवहे । अे टो बढुं आ बेनो ज हंभाळहे । आ बेनो ज बढो कारोबार करहे ।''

''अेला उकला आ टो जबरा राजा केहवाय । पैहानो कारोबार बी बेनोने होंपी डीढो, आ टो बहु के'वाय ।''

''अजु टने कां खबर हे । आ आपडे टां छोकरुं जनमे ने टोय पैहा हरकार आपे हे । छोकरुं मोटुं ठाय अने भणवा बेहे टोय मोडी पैहा आपे हे । छोकरुं भणी रेहे अेटले अेने ढंढो करवाना पैहा आपे हे । मांणह मांडु पडे टोय मोडी दवा कराववा पैहा आपे हे । अने मांणह मरी जाय टो अेनी अंटिमक्रिया करवाय आ राजा पैहा आपे हे ।''

''अेला उकला टुं टो बउ मोटी मोटी वाटो करे हेने कंई । आपडुं मांणह मरी जाय अने पैहा मोडी आपे अे टो में आ पे'ली वार हांभळीयुं ।''

''हुकला कोई बीमार पडीयुं होय ने टुं अेक फोन करेने टो मोदीनी १०८ नंबरनी गाडी आवे हे अने अेने घेरठी उपाडी जाय ने दवाखाने लई जाय अने हाजोहमो ठेई जायने टारे आ गाडी घेर आवीने पाछो बी मूकी जाय अने अे बी अेक पैहो लीढा वगर ।''

''बस बस, उकला, हवे टुं टारो लवारो बंढ कर । मने टो टुं आजे वढारे पडतो महुडो (दारु) पी गियो लागे हे । कोई राजानी गाडी वली मफटमां टने दवाखाने लई जाय, मफटमां दवा करावे अने पाछी मफटमां टने घेर बी मूकी जाय । अे टारो लवारो नी टो बीजुं हुं ? आजे टुं हासेहास वढारे पडतो महुडो (दारु) पी गियो हे ।''

“एला हुकला, में महुडो नी पीढो हे । महुडो (दारु) टो टुने चढयो
हे । आ आपडा राजा आटआटलुं करे हे ने टोय टुं मानटो नी हे टो पछी
महुडो टें पीढो हे के मीं पीढो हे ?”

“चाल उकला, टारी वाटोमां वली हुं कां वचाळे आवी गियो, मारे टो
अजु जंगलमां केहूडो ने गुंडर वीणवा जवुं हे ।”

“जो हुकला आ लवारो नी हे । आ हाची वाट हे । टुं काले आहवे
(डांग जिला का आहवा गाँव) आवजे टो खरो । अे... अे... राजाने जोजे
टो खरो । टुं के हुं अेमने गांधीनगडमां जोवा टो नी जवाना पण अहीं टो
टुं जोजे ने ।”

“हारु हारु ले काले मळहु । हवे मने जवा डे । मारे जंगलमां जवानुं
मोडुं थाय हे ।”

ऐसा कहकर उकला और हुकला बिदा होते हैं ।

दूसरे दिन सुबह हुकला और उकला दोनों आहवा में मिलते हैं ।
मुख्यमंत्री श्री नरेन्द्रभाई मोदी सभामंडप में आते हैं । मुख्यमंत्रीश्री को दूर
से देखकर हुकला खुश खुश हो जाता है और उनके मानस चित्त में कई
प्रसंग जागृत होते हैं । वो उकला को कहता है :

“एला उकला, टुं तो केटो ऊटो के आपडा राजा आववाना है ? टे
आ वली राजा कां हे ?”

“हुकला अे आपडा राजा नी हे टो हुं हे ? आ ज टो आपडा राजा
है ।”

“उकला अे टो आपडा राजा ठोडा हे । अे टो राजा नी हे । अे
टो आपडा जेवा गरीबोना टारणहार हे, गरीबोना बेली हे । अे टो देवना
अवतार हे ।” उकलो खुशीनो मार्यो बोलवा लाग्यो ।

“एला हुकला अे ज टो आपडा राजा है । अे ज टो नरेन्द्र मोडी
हे ।”

“उकला, खबरदार जो अेमने राजा कीढा हे टो । अे टो डेव हे डेव
(भगवान) ।”

“एला हुकला, टुं अेमने डेव (भगवान) केम केहे ?”

“जो हांभळ, हमणां ऊँ डह-पंडर डी पेलां वघई (डांग जिला का
गाँव) गेलो । टां वली अेक नायीनी हाटडीअे हजामट करावा बेठो । अे

हाटडीवालाअे अेनी हाटडीमां अेक डाढीवाला देवनो फोटो टींगावेलो । आ फोटाने डररोज डीवो अगरबटी करीने अेनो ढंढो चालु करटो । में अे हाटडीवालाने पूईछयुं के आ वली किया देव हे ? टो अेणे अे फोटानी हांमे जोईने कीढुं के, आ डेवे ज मने हजामटनां साढनो आपीयां, हाटडी लेवा पैहा आपीया अने में आ मारी हाटडी चालु करी । हवे ऊँ बऊँ ज हुखी हुं, कमाणी बउ हारी थती हे अेटले बउ ज हुखी । अे दिवसे हाटडीवालाअे मने जे फोटो बाटावेलो अे ज आ डाढीवाला डेव हे ।''

''पछी ऊँ टने बीजी अेक वाट केउं । गये वरहे आहवा में निहारियां छोकरांने डफटर ने चोपडीओ आपी ऊटी अेवुं केटलीक छोकरीओ के'टी ऊटी । आ छोकरीओओअे पेला छापामांठी फोटो कापीने अेमना डफटर उपर चीपकापी राखेलो ऊटो । अे फोटो बढाने बटावीने केहटी ऊटी के आ डाडाअे अमने डफटर ने चोपडीओ आपी । अने अे छोकरीओ अेमनो फोटो देवनी जेम हाचवीने अेमना डफटरमां राखटी ऊटी । अे फोटो में बी जोयेलो । अे छोकरीओओअे जे फोटो बटावेलो अे ज आ डाढीवाला ऊटा । टो बोल अे राजा करतां बी मोटा डेव के'वाय के नी के'वाय ?''

''टारी वाट हाची हुकला । अे राजा नी पण डेवना ज अवटार के'वाय । अेमणे टो केटलांय गरीबनां घर ऊजव्ळां कीढां हे । अे राजा नी पण राजा करटांय मोटा डेव के'वाय डेव ।'' अैसी बातें करते करते उकला और हुकला अपनी झोंपडी की ओर चले गये ।

नरेन्द्र मोदी : एक विशिष्ट व्यक्तित्व

१९५० : १७ सितम्बर गुजरात के मेहसाना जिले के वडनगर गाँव में जन्म ।

- वडनगर स्टेशन पर पिता दामोदरदास के चाय के स्टॉल पर चाय बेचने का काम किया । वहाँ से पसार होने वाली ट्रेनो में सेना के जवानों को जलपान कराते थे एवं उनका स्वागत करते थे ।

- अहमदाबाद एस.टी. बस अड्डे पर चाचा की केन्टिन पर चाय बेचने का काम किया । यहाँ R.S.S. के प्रचारकों के संपर्क में आये । प्रचारकों की राष्ट्रभक्ति से प्रभावित होने से उन्होंने भी R.S.S. में जाने का निश्चय किया ।

१९६८ : जशोदाबहन के साथ विवाह किया । पहले ही दिन पत्नी जशोदाजी को अभ्यास करने की सलाह देकर घर से निकल गये ।

१९७० : दो साल तक नरेन्द्रभाई भटकते रहे । कभी हिमालय में भक्ति करने को चले गये तो कभी विवेकानंद के बेलूर मठ में ठहरे ।

१९७५ : आपातकाल दौरान नरेन्द्रभाई ने भूमिगत आंदोलन चलाया । प्रचार सामग्री का वितरण करते थे एवं संघर्ष करने वाले नेताओं की सहाय करते थे ।

१९८७ : गुजरात अखिल भारतीय विद्यार्थी परिषद के प्रभारी बने । गुजरात भाजपा के महासचिव बने ।

१९९० : अडवाणीजी की सोमनाथ से अयोध्या यात्रा का सारथी बने ।

१९९५ : भाजपा में राष्ट्रीय सचिव एवं पांच राज्यों के प्रभारी बने ।

१९९८ : भाजपा के राष्ट्रीय महासचिव बने ।

२००१ : ७ अक्टूबर गुजरात के मुख्यमंत्री बने ।

२००२ : गोधरा कांड के बाद के लगे हुए सभी आरोपों का सामना किया । विधानसभा चुनाव हुआ । नरेन्द्रभाई ने दूसरी बार मुख्यमंत्री बनकर गुजरात में सत्ता संभाली ।

२००५ : गुजरात के दंगों के आरोप से नरेन्द्रभाई मोदी को वीसा देने का अमेरिका का इनकार ।

२००७ : नरेन्द्र मोदी ने तीसरी बार गुजरात के मुख्यमंत्री बनकर गुजरात की कमान संभाली ।

२०१० : सुप्रीम कोर्ट गठित SIT ने मोदी को क्लीन चीट दी ।

२०१२ : गुजरात में जीत की हेट्रिक । चौथी बार गुजरात के मुख्यमंत्री बने ।

२०१३ : ९ जून, भाजपा ने चुनाव अभियान समिति के अध्यक्ष बनाये ।

२०१३ : १३ सितम्बर को भाजपा ने नरेन्द्रभाई मोदी को भाजपा के Prime Minister के उम्मीदवार के रूप में घोषित किये ।

२०१४ : २६ मई को नरेन्द्र मोदी देश के प्रधानमंत्री बने ।

नरेन्द्र मोदी जब नये-नये मुख्यमंत्री बने उनके थोड़े ही दिनों में गुजरात दंगों में फँस गये । फरवरी और मार्च, २००२ में हिन्दू-मुस्लिमों के बीच खेले गये खून-खराबे के कारण मोदी को बार-बार जिम्मेदार बनाये गये । उनके टिप्पणी करने वालों ने तो ऐसा आरोप भी लगाया कि, मोदी ने व्यवस्थित रूप से और आयोजनबद्ध रूप से कार्य किया और दंगे-फसाद (हुल्लड) कराये हैं । जिस में ७९० मुस्लिम और २५४ हिन्दुओं की मृत्यु हो गई । २२३ लोग लापता हुए । २००५ की साल में अमेरिका ने इन कारणों से उनको वीसा नहीं दिया । मोदी एक लोकशाही रूप से चुने गये मुख्यमंत्री होने के बावजूद भी अमेरिका ने वीसा देने का इनकार किया और भारत का हाडोहाड अपमान किया । फिर भी कांग्रेस की यु.पी.ए. सरकार ने सिर्फ औपचारिकता के सूर में गुनगुनाहट करके विरोध प्रकट किया ।

नरेन्द्र मोदीजी की माता का नाम हिराबेन है । उनके पिताजी का नाम दामोदरदास मूलचंद मोदी है । नरेन्द्र मोदी पाँच भाई-बहनों में से दूसरे नंबर की संतान हैं । वे बचपन में नरेन्द्र के बदले 'नरिया' के नाम से

बुलाये जाते थे । मोदी के पिता की वडनगर रेलवे स्टेशन पर चाय की दुकान थी ।

लोकशाही में नेताओं को टिका-टिप्पणियों का सामना करना पडता है । (टिका-टिप्पणियों की आंगी में भुंजाते रहना पड़ता है ।) अमेरिका के प्रमुख लिन्डन जहोन्सन कहते थे कि, ''जिससे गर्मी सहन न हो उसे रसोई बनाने का व्यवसाय नहीं करना चाहिए । टिका-टिप्पण, बदनक्षी, आक्षेप गलीच भाषा सहन करने की क्षमता न हो तो उसे राजकारण (राजकीय क्षेत्र) में नहीं आना चाहिए ।''

'A Man with Mission' - गुजरात कड़ी मेहनत (सख्त परिश्रम), सुशासन, गुजरात विकास मॉडेल, वायब्रन्ट समिट, उत्सवों का राजकारण, गुजरात गौरव, केन्द्र के अन्याय के सामने हुंकार, गुजरात गौरव यात्रा, विवेकानंद युवा विकास यात्रा, जाहिर निविदा एवं कार्यक्रमों की विशेषता इत्यादि का साथ लेकर २००२, २००७, २०१२ की गुजरात विधानसभा के चुनावों में विजयी बनें । २०१२ में तो ''हेट्रिक वीर'' बनकर भाजपा में अनिवार्य बने और भारत की राजनीति में कई ऊँचाईयों तक पहुँचे ।

''मिली हुई तक पर आगे बढ़ना यही सफलता की सीढ़ी पर चढ़ने की (आगे बढ़ने की) श्रेष्ठ पद्धति है ।''

- एमरेन्ड

''मैं ७ अक्टूबर, २००१ से गुजरात का मुख्यमंत्री नहीं बना, मैं तो शुरुआत से ही C.M. हूं । आज भी C.M. हूं और कल भी C.M. ही रहूंगा । क्योंकि C.M. यानी कि Common Man ।''

- नरेन्द्र मोदी

''2002 में हिन्दू हृदय सम्राट बनकर, 2007 में सद्भावना पर और 2012 के चुनाव में विकास के मुद्दे पर चुनाव लड़कर नरेन्द्रभाई विजयी बने ।''

- विद्युत जोशी, समाजशास्त्री और राजकीय विश्लेषक ।

9 789352 968381